SACHSEN

Kulinarische Streifzüge

Oda Tietz

SACHSEN

Kulinarische Streifzüge

Mit 65 Rezepten,
exklusiv fotografiert
für dieses Buch
von
Hans Joachim Döbbelin

Brandenburg
BERLIN
Fürstenwal
POTSDAM
Elbe
Havel-Kanal
Elbe-
Plane
Nuthe
Burg
Spree
Dahme
MAGDEBURG
Luckenwalde
Fläming
Schönebeck
Brandenburg
Bode
Saale
Wittenberg
DESSAU
Nieder
Bernburg
Köthen
Aschersleben
Sachsen-Anhalt
Wolfen
Dübener Heide
Dommitzsch
Schwarze Elster
Finsterwalde
Hettstedt
Bitterfeld
Bad Düben
Mulde
Torgau
Delitzsch
Eisleben
Halle-Neustadt
Zuckerrüben
Eilenburg
Belgern
Gröditz
Pulsnitz
HALLE
Leipziger
Roggen
Dahlen
Strehla
Schkeuditz
Taucha
Wurzen
Oschatz
Elbe
Großenhain
Königsbrück
Merseburg
LEIPZIG
Trebsen
Döllnitz
Riesa
Obst
Radeburg
Zucker-rüben Bucht
Markkleeberg
Mügeln
Jagdschloß
Ottendorf
Meißen
Moritzburg
Unstrut
Weißenfels
Grimma
Zuckerrüben
Lommatzsch
Coswig
Rötha
Bad Lausick
Leisnig
Wein
Radebeul
Pegau
Pleiße
Naumburg
Borna
Colditz
Waldheim
Döbeln
Nossen
DRESDEN
Weizen
Roßwein
Freital
Rochlitz
Kriebstein
Geithain
Zeitz
Tharandt
Heidenau
Apolda
Wechselburg
Mittweida
Hainichen
Pirna
Altenburg
Rochsburg
Sachsen
Dippoldiswalde
Penig
Burgstädt
Frankenberg
Freiberg
Weißenborn
JENA
Limbach-Oberfrohna
Oederan
GERA
Meerane
Mulda
Altenberg
Weiße Elster
Crimmitschau
Glauchau
CHEMNITZ
Augustusburg
Groß-hartmanns-dorf
Georgenfeld
Thüringen
Zwickauer Mulde
Zschopau
Rechenberg-Bienenmühle
Werdau
Oelsnitz
Flöha
Thalheim
ZWICKAU
Stollberg
Thum
Marienberg
Olbernhau
Teplice (Teplitz)
Erzgebirge
Greiz
Schneeberg
Zschopau
Saalfeld
Reichenbach
Kirchberg
Aue
Annaberg-Buchholz
Most (Brüx)
Kartoffeln
Saale
Lengenfeld
Schwarzenberg
Satzung
Eibenstock-Stausee
Roggen
Plauen
Auerbach
Eibenstock
Bleiloch-Talsperre
Falkenstein
Johann-georgenstadt
Fichtelberg 1214 m
Oberwiesenthal
Vogtland
Ohře (Eger)
Oelsnitz
Klingenthal
Elstergeb.
TSCHECHISCHE REPUB
Adorf
Hof
Markneukirchen
Karlovy Vary (Karlsbad)
Bad Elster
Bad Brambach
Selb
Sokolov (Falkenau)
Cheb (Eger)
Kulmbach
Bayern
Main
Berounka
Bayreuth
20 km
© Studio für Landkartentechnik,

Oder
Odra (Oder)
Guben
Gubin
(Guben)
POLEN
Forst
Zary
(Sorau)
Bad Muskau
Weißwasser
Lausitzer Neiße
Weißer Schöps
Rothenburg
Spree
Niesky
Kartoffeln
Roggen
Zgorzelec
(Görlitz)
Bautzen
Görlitz
Löbau
Ebersbach
Neugersdorf
Niederoderwitz
Zittau
Waltersdorf
Jonsdorf
LIBEREC
(Reichenberg)
Jizera (Iser)
Mladá-Boleslav
(Jungbunzlau)
Labe (Elbe)
Vltava (Moldau)
PRAHA
(PRAG)

INHALT

Liebe Leserinnen und Leser,
drei Dinge, sie fangen mit K an – wie kolossal – gehören zu Sachsens Kulinarien: Kaffee, Kuchen, Kartoffeln. Kein Kuchen ohne Kaffee, gee Schälchen Heeßen ohne ä Stikkchen Guchen. Und bitte: scheene sieße. Als im Jahre 1694 Sachsens erstes Kaffeehaus, der Kaffeebaum in Leipzig, den Musentrank kreierte, erkannten die Zuckerbäcker ihre Mission: Sie hatten für das Kuchenherz der Nation, das in Sachsen schlägt, Sießes zu liefern. Und zwar in vielerlei Variationen: mal trocken, mal naß, mal gefüllt, mal mit Streuseln, mal mit Guß – äbn ä was geedlich Schnärbliches! Die Kartoffel ist manchmal die Dritte im Bunde, nämlich dann, wenn sie sich süß als Backwerk präsentiert. In dieser Kartoffelrolle, zum Beispiel als Quarkkeulchen, steht ihr der Kaffee gut. Ansonsten liebt sie Vielfalt. Die Sachsen rückten ihr deshalb mit Küchenphantasie auf die Pelle und rangen ihr delikate Raffinessen ab: Griegeniffte, Handwerksbürschle, Wickelklöße, Glitscher …
Wer vor diesen Köstlichkeiten sitzt, möchte zulangen und völlern – aber vor allem didschen, denn das gehört wie die Gemiedlichgeed einfach dazu. „Drum Ginder daucht de Kuchenstikkeln ein, wir sind ja Sachsen, wollen Sachsen sein."

Oda Tietz

Gaffesachsn äbn

Wohl nirgendwo sind Kaffee und Kuchen so inniglich verbunden wie in Sachsens Kaffeetassen. Die Leidenschaft zum „Didschen" ist uns Sachsen angeboren. Die Liebe zum „Sießen" und zum „Schälchen Heeßen" ebenfalls. Da gehen Kuchen, Semmeln, Hörnchen, Kekse, Waffeln auf Tauchstation, um dann als Zungenspitzenreiter den Gaumen sanft und lieblich zu umschmeicheln. Auch Saucen, die köstlichen, würzigen, hellen, dunklen, sahnigen, meist ein wenig sämigen, sind zum Didschen da. In ihnen zermampft, zerstampft, zerdrückt, schwenkt, na eben didscht man grüne Klöße, Schäl- oder Wickelklöße, Petersilien-, Majoran- oder Bratkartoffeln. Didschen in Saucen ist gesellschaftsfähig. Didschen in Kaffee . . . naja, es ist ein bißchen aus der Mode gekommen, zumindest öffentlich! Das macht man – Ausnahmen ausgenommen – drheeme, wemmer alleene is. Gaffesachsn äbn. Als solche sehen wir Sachsen uns gern. Mag auch ein Hauch Ironie in dem Wort mitschwingen, es stört uns nicht. Schließlich bewegen wir uns in allerbester Gesellschaft: Künstler und gekrönte Häupter liebten ihr „Däßchen Bohngaffe" ebenso wie Ratsherren, Bürger- und andere Leute. Und das schon vor 300 Jahren. Das haben wir schriftlich! Denn wie viele andere Künstler trieb der Kaffee auch Johann Sebastian Bach in die Arme der Muse. In seiner Kaffeekantate läßt er Lieschen singen:

„Ei! wie schmeckt der Kaffee
süße,
Lieblicher als tausend Küsse,
Milder als Musketenwein.
Kaffee, Kaffee muß ich haben;
Und wenn jemand mich will
laben,
Ach, so schenkt mir Kaffee ein!"

Warnungen und Mahnungen, der „Türkentrank" mache „blaß und krank" schlug man in den Wind – ganz Sachsen war der Kaffeeschwelgerei verfallen. Das Getränk wurde so populär, daß es sogar Mittags- und Abendbrotmahlzeiten verdrängte. Manch einer mag diese neumodische, höchst bequeme Art zu speisen übertrieben und sich über plötzliche Magensprünge gewundert haben („Ei vrbibbsch! Mir isses so gomisch!"), denn nur Kaffee und Brot oder Backwerk, das hält der Kräftigste und Gesündeste auf Dauer nicht aus. Aber das lag nicht am Kaffee. Deshalb konn-

Zur Abbildung auf Seite 2: Die Basteifelsen bei Rathen über dem Elbtal.

Beim heißgeliebten „Schälchen Heeßen" und den süßen Kunststückchen der Konditoren werden aus braven Sachsen zügellose Schlemmer.

August der Starke persönlich soll das Portal-Relief für das älteste Leipziger Kaffeehaus, den „Kaffeebaum" in der Kleinen Fleischergasse, gestiftet haben. Er war vom Geschmack des braunen Türkentrankes geradezu begeistert.

ten ihn seine Gegner, mochten sie auch noch so starke Geschütze auffahren, nicht vergraulen. Des Kaffees anregende, aktivierende Eigenschaften hatte man bald erkannt und schätzte sie. Wie viele Musenküsse von dem „geedlichen" Getränk ausgegangen sein mögen, weiß niemand zu sagen. Da soll aber so manchem „ä Dalchlicht uffgegang sin" – sogar beim Anblick des Kaffeesatzes. Ist er nicht ganz und gar zum Wahrsagen geeignet? Heißt es nicht, er mache schön? In diesem Falle inspirierte er: Eine Sächsin (allesamt haben sie eine praktische und merkantile Veranlagung) zerschnitt ein Löschblatt, legte es auf einen durchlöcherten Untersatz – Melitta Benz hatte die Filtertüte erfunden. Das war vor beinahe 90 Jahren.

Die Sachsen mögen ihren Kaffee „scheene sieße", oder mit Sahne, oder mit beidem, tiefschwarz, gefiltert, mit Schuß, mit Schokolade. Ich mag ihn am liebsten türkisch. So wie ihn der Türke in Leipzig über der Tür in der Kleinen Fleischergasse dem Ankommenden entgegenreicht. Die Legende will es, daß August der Starke bei seinem ersten Kaffeegenuß, das war im Jahre 1694 in einer Leipziger Schenke, überwältigt gewesen sein soll.

Oder war es das sieße Deibchen, die hibbsche Wirtin, die ihn bedeerde? Se war doch wärglich ä brächdches Weib, de Maddilde, middärer gärn ä dreimerisches Schtindchen hadde, weeß gnäbbchen. Sensihwl warnse beede nich. Da hamm sich so wubbdich zwee gefunden fier ä eenziches Vergniechn. Andererseits: Hätte sie ihrem „Geenich", der Hufeisen knetete wie Kuchenteig oder Silberteller aufrollte wie Rouladen, Widerstand leisten dürfen? Escha. Egal, wie es auch gewesen sein mag (mid so änner Baggadälle gibd mer sich nacherds garnich ärschd ab), er befahl, über dem Portal, zur Erinnerung an den köstlichen Trunk, eine Steinplastik anbringen zu lassen. Einen früchtespendenden Kaffeebaum, der der Schenke den Namen gab, mit dem davor ruhenden, sichtlich gelabten Türken. Wer allerdings glaubt, das sei „Bliehmchengaffe", der irrt. Der Osmane mit Turban weiß am besten, wie die Kaffeeverehrer ihren Musentrank mochten. „Dinne" war er jedenfalls nicht. Die Schenke besaß zu jener Zeit keine Tassen mit Blümchenmuster, das Meißner Porzellan

Zum Coffe Baum
4

war noch nicht im Handel. Der Muselmann hat sie alle gesehen, die hier Einkehr hielten zu Kaffee, Wein, Bier oder Likör. Dichter, Gelehrte, Musiker: Gellert, Lessing, Goethe, Telemann, Liszt, Schumann, Wagner. Auch Napoleon übertrat die Schwelle. Türke, ich beneide dich!
Welch ein Glück, daß die Sachsen nicht unter preußischer Knute standen! Über das dort verhängte Kaffeeverbot konnten sie dazumal nur lachen. Über die ausgesandten Kaffeeschnüffler auch. Sie hoben ein Kaffeehaus nach dem anderen aus der Taufe – vor allem in und um die Leipziger Katharinenstraße, dem Eldorado für Kaffeehausgänger. Da gab es die Kaffeehäuser Zimmermann, Classig, Hülsen, Freiberg, Oriental – und das Café Geßwein mit dem liebreizenden Gastwirtstöchterlein, dem Anziehungspunkt für den stürmischen jungen Goethe, oder erwartete ihn Käthchen im Wohnhaus nebenan? Das Richtersche Coffe Haus, berühmt wegen seines Punsches und seines Schokoladenkaffees, lockte die Geschäftswelt an.
Das vornehmste von allen gehörte dem Zuckerbäcker und Schokoladenfabrikanten Wilhelm Felsche. Er erwarb nach Abriß des Grimmaischen Stadttores im Jahre 1831 den danebenstehenden Schuldturm. Diesen Turm aus dem Jahre 1577, auch Tetzelturm nach seinem ersten Arrestanten genannt, ließ er abreißen und baute an dessen Stelle ein modernes, an Eleganz noch nie dagewesenes Kaffeehaus. In einer Anzeige verkündete er: „Durch ausgezeichnete gute Waaren, reelle Bedienung und höchste Reinlichkeit hoffe ich mir den Beifall eines geehrten Besuches zu erwerben.“ Er packte die Sachsen an ihrer schwächsten Stelle – dem Hang zum „Sießen“. Wie kaum ein anderer hatte er erkannt: Das Kuchenherz der Nation schlägt in Sachsen!
Hier kehrte ein, wer einen prallen Geldbeutel hatte. Wer keinen besaß, drückte sich die Nase an den Fensterscheiben platt, um wenigstens die köstlichen, mit bunten Sahnehäubchen und verzuckerten Blüten garnierten Torten, Kuchen, Pralinen, Fondants, Schokoladenfiguren, wenn nicht kosten, so doch bewundern zu können. Das Vergnügen währte nicht lange, Felsche ließ Scheibengardinen anbringen. Damit war es mit der Guckerei vorbei. Aber riechen konnte man die Leckereien dennoch. Man

Das Café Felsche mit seinem prächtigen Interieur war einmal das feinste und edelste unter den vielen Leipziger Kaffeehäusern.

brauchte nicht einmal nahe heranzukommen. Der Duft von Marzipan, Kaffee, Schokolade, frischem Backwerk lag über der Innenstadt und soll berauschend gewesen sein.

Zum 450jährigen Jubiläum der Leipziger Universität buk Felsche den größten Baumkuchen seines Lebens. Er verwendete sechshundert Eier für diese Riesenschlemmerei, die eine Höhe von reichlich drei Metern hatte. Drei Medaillen zierten das Backwerk: eine trug das Universitäts-, die nächste das Rektoratswappen, die dritte war mit den Jahreszahlen 1409 bis 1859 versehen. Felsche paßte ins Kuchenreich Sachsen!

Kaffeehausbesitzer, die auf sich hielten, schickten ihre Söhne und Gehilfen als Volontäre in die „Hohe Schule des Condidders und Zuckerbäckers" – auch dann noch, als Wilhelm Felsches Nachfahren dem Café vorstanden.

Ja, Felsche! Wenn ich den Namen lese, höre oder denke, sehe ich Tilly vor mir, meine Großtante. Ihr Geburtsdatum lag im letzten Jahrzehnt des vorigen Jahrhunderts. Damit kokettierte sie zeit ihres Lebens – ja, was sie alles erleben durfte! Natürlich kannte sie das Kaffeehaus Felsche. Wenn sie von den Cremetorten mit weißer, brauner, grüner Füllung, farbigem Zuckerguß, garniert mit

Sachsen, Kaffee und Kuchen gehören zusammen. Sogar Ditschen oder Stippen ist erlaubt, zumindest solange keiner hinsieht.

Blüten in erstarrter Rüstung, sprach, verdrehte sie die Augen. In ihrer Jugendzeit war es zur Manier geworden, beim Kaffeekränzchen oder wo auch immer, die Konditoreiwaren auf Herz und Nieren zu prüfen. Dem „Condidder" wollte man schon auf die Schliche kommen und das Backwerk getreu nacharbeiten – was auch eine Frage des Geldbeutels war. Die berühmte Himmeltorte – auf Baiserboden lugen leuchtend rote Erdbeeren unter Schlagsahnetupfen und kandierten Holunderblütendolden oder verzuckerten Veilchen hervor – hat Tilly einmal für mich gebacken. Ich hätte das Kunstwerk – zum Essen zu schade, fand ich – am liebsten für immer eingefrostet. Wir besaßen keinen Gefrierschrank. Am Samstagnachmittag, es gab damals noch keine arbeitsfreien Sonnabende, buk Tilly – wann immer sie es ermöglichen konnte – einen Sonntagskuchen. Meist waren es buttrigzuckrige Blechkuchen aus Hefeteig, belegt mit Streuseln oder Früchten oder gehackten Nüssen. Ich sollte zusehen. Das tat ich, aber mehr des Naschens als des Lernens wegen. Noch heute habe ich ihre Ratschläge im Ohr: Zutaten für den Hefeteig müssen Zimmertemperatur haben, damit der Teig gut aufgeht; Mehl sieben, dann ist es lockerer; jedes Ei erst in eine Tasse gleiten lassen, um zu prüfen, ob es gut ist. Dabei walkte und puffte sie den Teig, daß sie ins Schwitzen kam. Erst wenn er weich und geschmeidig war und glänzte, war sie zufrieden. Ich liebte ihre Kuchen, am meisten den Streuselkuchen. Wenn der aus dem Ofen kam, goldbraun, waren meine Finger heimlich, ganz schnell, an den zum Teil ineinandergeschmolzenen Streuseln. Noch heute suche ich diesen Duft, wenn ich an einem Kuchenbüfett stehe. Und immer ist da Vanille- oder Mandelaroma im Spiel.

Am aufregendsten war es im Dezember zur Stollenzeit. Stollen buk Tilly nicht selbst. Das besorgte der Bäcker. Aber die vorbereiteten, das ganze Jahr über gesammelten Zutaten, die lieferte sie. Sie bestimmte auch die Mengen. Am Abend vor dem Backtag saßen wir um den Küchentisch und hackten, hobelten, schnibbelten, kieksten, denn jede(!) Rosine mußte eingestochen werden, damit sie sich voll Rum saugen konnte für diese Festtagsköstlichkeit: Mandeln, Zitronat, Orangeat. Im Backofen schmorten

CAFE BAUER
BILLARDSAAL
CAFÉ BAUER.
LESESAAL.

Bratäpfel. Wir sangen Weihnachtslieder, hörten Schallplatten, erzählten Geschichten. Vorweihnachtsstimmung. Der Tag darauf war turbulent. Früh beizeiten mußten die Zutaten zum Bäcker gebracht werden. Tilly sah ihm scharf auf die Finger, daß das von ihr Gelieferte auch in ihren und in keinen anderen Teig wanderte. Bevor die Stollen in den Ofen geschoben wurden, erhielten sie kleine Nummernschildchen, um Verwechslungen auszuschließen. Auf langen Kuchenbrettern, mit Tüchern bedeckt, wurden sie nach Hause geschleppt – acht bis zehn Drei- oder Vierpfünder. Die ganze Wohnung duftete nach Marzipan. Aber verkostet wurde nicht, was mich jedesmal zutiefst empörte. Ragte *eine* Rosine aus der Stolle und ich wollte sie abknipsen, war Tilly zutiefst beleidigt. Dann „diggschte" sie. Das tat sie genau so, wie es Hans Reimann so trefflich – als sächsische Eigenart – beschrieben hat: „Kinn vorschieben, bis die Unterlippe baumelt – und daneben gucken, ins Leere." Stolle muß durchziehen, desderwäächen! Für sie war das Warten aber ebenso qualvoll, wenn auch aus anderem Grund. Sie bangte, ob das Backwerk gelungen war: „Das gude Zeich da drinne, die gude Budder . . . 's wäre draurich . . . die missn mr mit Verschtand essn." Desderwäächen. Das war eines ihrer Lieblingsworte. Wenn sich an den Weihnachtsfeiertagen Verwandte und Bekannte um die Kaffeetafel versammelten, tat Tilly vornehm: mit spitzestem Mündchen – das war der Versuch, Hochdeutsch zu sprechen – erkundigte sie sich nach Befinden und Vorhaben ihrer Gäste. Wenn dann zwischendurch ihr Lieblingswort durchrutschte, klang das recht lustig. Sächsisch kann man nicht ablegen wie einen Hut. Auch nicht erlernen, indem man den Kiefer hängen und die Worte rauslaufen läßt. Desderwäächen. Ei vrbibbsch!

Leipzig blickt auf eine ruhmreiche Kaffeehaus-Kultur zurück. Dabei wurde nicht nur Kaffee getrunken und Kuchen geditscht. Viele Kaffeehäuser besaßen sowohl Lese- als auch Billardsaal, veranstalteten Kleinkunst-Aufführungen, Modeschauen oder Tanztees und wurden so zum sozialen Treffpunkt für jung und alt. Vielleicht wird diese Vergangenheit bald wieder lebendig?

In Leipzig gibt's allerlei

Leipzig ist nicht nur Messe-, sondern auch Musikstadt: Johann Sebastian Bach wirkte hier als Thomaskantor.

Menschen hasten durch die Straßen. Es sind mehr als vor Sachsens Öffnung nach Westen. Ruhelose, forsche, unternehmungslustige Menschen. Ich schreite auch eiliger aus – man muß Schritt halten. Noch nie waren in kürzester Zeit so viele Imbiß- und Verkaufsstände da wie in den vergangenen Jahren. Es duftet nach Bratwurst, nach Broiler, frischem Backwerk, nach Blumen. Es ist ein milder, sonniger Spätsommertag. Viele große Geschäfte stehen noch leer. An ihren Schaufenstern und Türen kleben Schilder mit längst verfallenen Daten über Ausverkauf und „Bis auf weiteres geschlossen". Knallbunte Werbeplakate kleben an grauen Häuserfronten, über denen Dunstglocken von Kohlehausbrand stehen, Werbung für Kaffee, Eis, Bier, Zigaretten, Autos, Möbel. Hin und wieder ein hellstrahlender Laden in Weiß, Grün, Rosé. Passanten stehen verzückt davor. Dann immer wieder Gerüste, Gerüste . . . Graues Leipzig, ade? Am Marktplatz angekommen, verlangsame ich meinen Schritt. Das Rathaus hat etwas Faszinierendes. Den imposanten Bau mit seinen Giebeln und dem sehenswerten Turm ließ Hieronymus Lotter um 1556 in neun Monaten errichten. Ich mag es sehr, das standfeste, altehrwürdige Haus. Du hast viel gesehen, Rathaus, Kriege durchgestanden und überlebt, den Verfall deiner Stadt konntest du nicht aufhalten. Aber deine fichelanden (flexiblen) Leibzscher lassn dich nich im Stich!
Ich stelle mir vor, wie es ausgesehen haben mag, damals 1871, als es illuminiert den einzigen Sieg der Sachsen im Laufe von zweihundert Jahren in die Welt strahlte. Erich Loest hat es in seinem Buch „Völkerschlachtdenkmal" beschrieben: „. . . das Rathaus war mit hundert Fahnen und einem Transparent geschmückt: Lipsia huldigt kniend der Germania. Das Rathaus war mit fünfunddreißigtausend Gasflammen und dreitausend Öllämpchen illuminiert. Danach kam diese blödsinnige Redewendung auf: ‚Bei Leipzig-ein-und-Leipzig'. Wird immer noch angewendet, wenn einer ausdrücken will: Damals, weiß auch nicht genau, wann eigentlich. Mit derlei kommen wir Sachsen über manche Runde." Trotz aller „Gobbschläche" (Schläge auf den Kopf) während seines Spielballdaseins zwischen den Großmächten hat der Sachse sich nicht unterkrie-

gen lassen. Wie ein Stehaufmännchen war er wieder oben. Er schüttelt Niederlagen und Demütigungen ab. Unverdrossen und mutig geht's von vorne los!
Ich schnuppere, recke meine Nase höher. Aromatische Düfte umschwirren mich. Schweben sie noch vom Gewürzgewölbe herüber, das bis kurz nach der Wende im Rathaus unter den Arkaden seine Waren mit dem Hauch von der großen weiten Welt feilbot, oder steigt der Duft aus meiner Tasche? Ich habe mich anderswo eingedeckt: Thymian für Rinderbraten, Majoran für Kartoffelsuppen und Bratkartoffeln, Salbei für Lammfleisch. Phantasievoll würzen war schon immer der Sachsen Leidenschaft, damit haben sie manch einfaches Rezept schmackhaft gemacht. Wie mag es erst geduftet haben, als die Pfefferwagen zur Meßzeit durch die Tore der Stadt zogen. Sie kamen über die zwei wichtigen Handelsstraßen, die Via Regia und die Via Imperia, die sich in Leipzig kreuzten und erwarteten – von der Mutter der Messestädte – gute Geschäfte. Freie Einfuhr ihrer Waren war gesichert. Welch ein Lärm, Geschrei und Toben in den Gassen! Trompetenstöße, Gebimmel, Drehorgelklänge übertönten das fremdländische Geschrei der Händler und lockten die schaulustige Menge

Auf den Märkten gibt es jetzt wieder alle Zutaten fürs Leipziger Allerlei und für viele andere Leckereien.

„Marktplatz Europas" wurde Leipzig einmal genannt. Die Altstadt besitzt immer noch das Flair der alten Handelsmetropole. Das Alte Rathaus (rechte Seite) mit seinem Marktplatz (links unten) ist auch heute noch Mittelpunkt. Das historische Teehaus (oben links) ist leider vor kurzem dem Feuer zum Opfer gefallen, hoffentlich wird es wieder aufgebaut.

CH CHRISTI UNSERES HERRN GEBURTH IM MDLVI JAHR BEY

Das Völkerschlachtdenkmal ist für viele ein architektonisches Monstrum. Es erinnert an die grausame Massenschlacht während der Befreiungskriege 1813.

von Wagen zu Wagen. Für die Leipziger und für die angereisten Sachsen war das eine willkommene Abwechslung. Ihre Neugier auf Neuheiten konnte befriedigt werden. In den Wohnungen rückte man zusammen, um die Gäste beherbergen zu können – und etwas verdienen konnte man auch dabei! Fremdländische Kleidung und Küche wurden begutachtet und nachgeahmt. Es galt als vornehm, Rezepte anderer Länder auszuprobieren.

Auch das sächsische Manufakturwesen konnte sich mit seinen Produkten sehen lassen. Hoch im Kurs standen Klöppelspitzen und Posamenten, bedruckte Baumwolle und gewebtes Leinen.

„... dahin brachte es nur der patriotische Fleiß des Sachsen, der von Natur tätig und industriös, in feinen Sitten mild, gefällig, ja fast galant, überhaupt friedlich, ein sorgsamer Familienvater und pflichtgetreuer Sohn seines Vaterlandes ist. Durch gleiche Häuslichkeit und stillen Fleiß zeichnet sich auch bei aller Weltbildung das schöne Geschlecht aus, welches hier so reizend blüht, daß ein uraltes Sprichwort erzählt, in Sachsen wüchsen die schönsten Mädchen auf den Bäumen. Die sächsischen Frauen verbinden französische Leichtigkeit mit deutschem Gemüte, körperliche Reize mit intellektueller Ausbildung, schaffende Häuslichkeit mit ästhetischem Sinne für alles Edle und Schöne in Natur wie in der Kunst. So konnte es denn nicht fehlen, daß auch die Musen und Grazien ihre Herrschaft hier ausbreiten, zumal eine tüchtige Volksbildung ihnen die Hände dazu bot." Das steht im Damen-Conservationslexikon aus dem Jahre 1838 – und daran hat sich nichts geändert. Es wird doch keiner die Gültigkeit anzweifeln? Ich werde gerempelt, gepufft. Meine Tasche wird mir von der Schulter gerissen. Wo ist sie hin, die sächsische Gemütlichkeit? Gab es sie überhaupt? Theodor Fontane machte mit ihr und den Sachsen während seiner Leipziger Apothekerzeit so seine Erfahrungen: „Daß die Sachsen sind, was sie sind, verdanken sie nicht ihrer Gemütlichkeit, sondern ihrer Energie. Dies Energische hat einen Beisatz von krankhafter Nervosität, ist aber trotzdem als Lebens- und Kraftäußerung größer als bei irgendeinem anderen deutschen Stamm, selbst die Bayern nicht ausgenommen: die bayerische Energie ist derber. Die Sachsen sind überhaupt in ihrem

Die grünen Lungen Leipzigs sind lebensnotwendig für die von der Luftverschmutzung arg gebeutelte Stadt.

ganzen Tun und Wesen noch lange nicht in der Arbeit überholt, wie man sich's hierzulande so vielfach einbildet . . . Sie sind die Überlegenen, und ihre Kulturüberlegenheit wurzelt in ihrer Bildungsüberlegenheit, die nicht von neuestem Datum, sondern fast vierhundert Jahre alt ist." Hoffentlich wird das nicht vergessen, verdrängt, übersehen, wegkatapultiert. Mir Sachsen sin helle!
Sächsische Gemütlichkeit gibt es. Natürlich. Man muß sie nur aufspüren. Zum Beispiel im Kaffeehaus. Hin und wieder sehne ich mich nach ihr – und nach dem Kaffeeduft, vermischt mit Schokolade, Vanille, Marzipan, Zigarettenrauch. Sollte ich? Ä Schlickchen? Klar sollte ich! Das Café ist gut besucht. Kaum ein freier Platz. Ich setze mich zu einem älteren Herrn an einen kleinen runden Marmortisch. Er lächelt mich freundlich an und didscht seinen Streuselkuchen in den Kaffee. Ich amüsiere mich. Das „bidddäääh säääähr" der Serviererin reißt mich aus meinen Betrachtungen. Ich bestelle und sehe mich um. „Wollnse nich ooch ä was Sießes verschbachteln, meine Gudste?" Mein Tischnachbar zählt seine Lieblingskuchen auf: Eierschecke, Kleckselkuchen, Prophetenkuchen,

Altehrwürdige Bürgerhäuser mit schönen Fassaden findet man in Leipzig an vielen Stellen. Die sprichwörtliche sächsische Gemütlichkeit kommt auch auf dem kleinsten Balkon auf.

Mohnkuchen, Quarktorte ... Zwischendurch versinkt sein Kuchen im Kaffee. Ich erfahre, daß er täglich noch durchs Rosenthal radelt. Ob ich eigentlich wüßte, daß der starke August daraus einen Lustgarten machen wollte mit Schlößchen und so. Aber die Stadtväter hätten kein Geld locker gemacht. Deshalb sei's ein Luftschloß geblieben. Und die herrlichen Barockgärten vor den Toren der Stadt, na „dadervon weeß keener mehr". Er habe noch Bilder und Postkarten aus jener Zeit, wo man noch auf der Pleiße Kahn fahren konnte. Jaja, die Pleiße, sie blubbert nur noch müde und verschlammt vor sich hin – unter der Erde. Dabei gab es so viel Wasser in Leipzig. Sogar Überschwemmungen! Er hat's erlebt, in der Bosestraße, wo er wohnt. Vor vierzig Jahren. Sie konnten nur mit dem Kahn wegkommen aus ihren Häusern. Leipzig sollte ja Seestadt werden. Messestadt, Seestadt ... Aber die Rechnung mit dem Wasser ging nicht auf. Leipzig war auch mal eine grüne Stadt – mit vielen Kuchengärten – in einigen war er als kleiner Junge. Naja, jetzt hat man ja noch den Auenwald. Die Kuchengärten waren beliebte Ausflugsziele. Schon von weitem konnte man auf großen Schildern lesen: Hier können Familien Kaffee kochen. Das war tatsächlich so: Man braute ihn nach eigenem Geschmack oder man ließ ihn sich servieren. Besonderen Ansturm erlebte der Kuchengarten in Reudnitz. Der war berühmt. Dafür hatte im 18. Jahrhundert der „Kuchen-Professor" gesorgt. So nannten die Studenten der Goethezeit den Bäcker Händel, der ein Riesenangebot an den vielfältigsten Leckereien hatte: verschiedene Käsekuchen – mit Rosinen und Mandeln, mit Streuseln oder Schokoladenguß auf leichter, lockerer Eier-Quark-Masse, knusprige, mit Zuckerglanz versehene Waffeln aus Eierkuchenteig, Apfelkuchen mit Nußsplittern, Streuselkuchen, würzigen Speck- und Zwiebelkuchen.

Hier trafen sich Künstler, Gelehrte, Fürsten, Militärs, Bürgerfamilien. Schon damals wußte man in Sachsen – womöglich besser als heute! – um die Gefahren der Konkurrenz. Jeder Kuchengarten erdachte stets Neues, um Gäste anzulocken. Kunzes Garten warb mit Kegelbahn und Kinderspielplatz; Pinkerts Garten lockte mit Tierschauen.

Malimo
Malimo
Malimo

Die Quellen für die Gose, das obergärige Bier, waren lange versiegt. Jetzt fließen sie wieder in der bislang einzigen Goseschänke der Stadt. „Und in Leipzig, in der Kneipe gibt's ein Bier, heißt Gose. Wenn man denkt, man hat's im Leibe, hat man's in der Hose."

Als größtes Vergnügungsetablissement Deutschlands galt der Krystall-Palast in der Wintergartenstraße mit Zirkus, Konzerthalle, Varieté-Theater, Konditorei, Wein- und Bierrestaurant mit Kegelbahn. Nach einer Vorstellung im Jahre 1913 entwischten auf dem Transport zum Hauptbahnhof acht Löwen. Sie gehörten zum Zirkus Barum. Einige trollten sich in die Innenstadt, andere kletterten in Straßenbahnen. Die völlig kopflos gewordene Gendarmerie schoß und brüllte wild drauflos. Löwin Polly suchte gute Küche und Nachtquartier im Hotel Blücher, gleich gegenüber dem Hauptbahnhof. Die einzige Tür, die sich ihr öffnete, war die zur Damentoilette. Dort wartete sie geduldig, bis ihr „Herrchen" sie abholte. Das Hotel hatte ab diesem Tag seinen Namen weg: Hotel zum Löwen. Ein paar Tage später fand anläßlich der beendeten Jagd, bei der nur zwei Löwen überlebten – in Ackerleins Keller ein Löwenbankett statt. Es gab Löwenschwanzsuppe nebst getrüffelten Tatzen, anschließend Löwenlendchen und als Dessert plastische Eisgruppen und Formgebäck: Herakles erwürgt den nemeischen Löwen, Daniel in der Löwengrube. (!?)

Zum Lieblingsgetränk Kaffee gesellte sich bald ein zweites: die Gose. Fürst Leopold von Anhalt-Dessau hatte dieses goldig helle, obergärige Weizenbier mit leicht weinsäuerlichem Geschmack im Jahre 1738 bei seinem Regimentskameraden Gieseke, Besitzer einer „Dorfschänke" in Eutritzsch bei Leipzig eingeführt. Das durstlöschende, wohlschmeckende Bier wurde Familien- und Stammtischfavorit. Je nach Geschmack goß man einen Schuß Himbeersaft ins Glas oder trank Kümmel- oder Kirschlikör dazu. Salzbrezeln und mit Salz und Kümmel bestreute Prophetenkuchen durften nicht fehlen. Das Gose-Mekka befand sich in Gohlis. Ottilie Bürger, Gastwirtin mehrerer Wirtschaften, geschäftstüchtig dazu, lud ein zu Schlachtfesten, Kränzchen oder Ballmusik. Die Gose war immer dabei. Zur alljährlichen Kirmesfeier lieferten sich Studenten und Schriftsetzer eine Saalschlacht. Ihr Schlachtruf: „Gose, ganz famos!" Dabei flogen Gläser, Flaschen, Stühle durch die Luft – an die Köpfe der Gegner. Das prickelnde Getränk war zu meiner Studentenzeit genauso beliebt wie vor hundert und mehr Jahren. Mitte der 60er Jahre

verschwand die Gose. Seit geraumer Zeit ist sie wieder da – in Gohlis, beliebt und begehrt wie eh und je!

Delikatessen anderer Art bekam man um die Jahrhundertwende bei Witwe Schwennicke in der Feinkosthandlung im Leipziger Salzgäßchen. Immer auf Besonderheiten ausgerichtet, lagen lange Zeit in ihrem Rundbogenfenster – hochaufgetürmt auf weißen Porzellanplatten – feuerrote Hahnenkämme. Welch ein Kontrast! Ihr bester Kunde war Hans von Weber, Mitbegründer der „Literarischen Gesellschaft in Leipzig". Er aß Hahnenkämme mit Leidenschaft und bot sie seinen Gästen an: gekocht auf Artischockenböden mit Béchamelsauce oder gebraten mit Leipziger Allerlei, geschmort und fein geschnitten auf Brot mit Mayonnaise. Sie sollen zarter und schmackhafter als der beste Schinken gewesen sein (auch wenn einem bei der Vorstellung eiskalte Schauer über den Rücken laufen). Oja, unsere Vorfahren wußten Eindruck zu machen! Neben den Hahnenkämmen standen Gemüsetorten – süße und herzhafte. Die Mohrrübentorte aus Witwe Schwennickes Laden wurde zum Stadtgespräch und ein großer Renner – ein gehaltvolles, süßes Backwerk aus geriebenen Mohrrüben und Mandeln, vermischt mit Eiern, Zucker und

In Goethes Faust lockt Mephisto mit diesen Worten in Auerbachs Keller in der Mädlerpassage: „Damit du siehst, wie leicht sich's leben läßt. Dem Volke wird hier jeder Tag ein Fest . . ." Noch heute läßt sich's hier gut leben.

Auch ein Stück Leipziger Architekturgeschichte: der Hauptbahnhof, heute noch eine gelungene Verbindung von Form und Funktion.

Nächste Doppelseite: Das Elbtal bei Meißen.

Gewürzen. Die sächsische Eigenart, Gemüse auf das feinste zu zerkleinern, kam dieser Torte zugute.
Viele originelle Rezepte sind entstanden und funkeln im Verborgenen. Aber nicht mehr lange! Denn da sind die Köche, darunter etliche, die ihr Handwerk verstehen! Mit bienenfleißiger Emsigkeit graben diese feinen, kreativen Seelen auch verschüttete, bodenständige Gerichte wieder aus, forschen, reisen und freuen sich, wenn sie fündig werden. In ihren Töpfen brodeln Schwammerl-, Abern-, Wein- oder Zwiebelsuppen. In ihren Pfannen brutzeln Fasane, Rouladen, Bauernspieße, Quarkkeulchen, Glitscher, Handwerksbürschle. Aus großen Schüsseln steigen Dämpfe von Wickelklößen, Stupperchen, Griegenifften, Schälkließln. Traditionsreiche Gasthöfe, hervorgegangen aus Forsthäusern, Jagd-, Berg- und Köhlerhütten, Post- und Pferdestationen, jüngst auch aus Ferienheimen und Gästehäusern, bringen wieder sächsische Speisen auf den Tisch und bieten „sächssche Gemiedlichgeed“. Wenn ein französischer Ministerpräsident in Dresden lieber sächsisch als französisch speist, muß die Küche etwas bieten. Nach dem Genuß von Moritzburger Fasan auf Linsen läßt er den Koch kommen. Er klopft ihm auf die Schulter: Die französische Küche hat viele Köche beeinflußt, das könne nun auch die sächsische Küche . . . Eine schöne Herausforderung. Mir sin wer! Desderwäächen!

Meissen: Wein und Weisses Gold

„Der Bäcker nimmt 'nen Batzen Luft, bläst bissel Teig drum rum; schon zieht der Fummel würz'ger Duft ins liebe Publikum." Das Rezept des berühmten Meißner Gebäcks wird immer noch streng geheimgehalten.

Wir wollen Hauptstadt werden, sagten die Meißner, als es keine DDR mehr, aber einen Freistaat Sachsen gab. Wie schon einmal, vor reichlich fünfhundert Jahren. Da war ihre Albrechtsburg, das angeblich erste Schloß in der Geschichte deutscher Baukunst, errichtet worden. Aber wieder einmal wurde Dresden Sachsens Metropole.

Meißen ist eine geschichtsträchtige Stadt. Von hier aus machte vor mehr als tausend Jahren der Sachsenkönig Heinrich I. Sachsen groß. Im Jahre 929 ließ er auf einem bewaldeten Hügel – es paßte gut in seinen strategischen Plan – an der Elbe die Burg Misna (Meißen) errichten – mit Wohnräumen, Stallungen und einem Wassergraben. Die Wehranlage sollte ihm sein Herzogtum und das eroberte Land inmitten feindlicher Siedlungsgebiete sichern helfen. Fein wird es nicht immer zugegangen sein bei der Unterwerfung der slawischen Stämme. Auch dann nicht, als Nachfolger Kaiser Otto I. weiter eroberte und 965 die Mark Meißen gründete. Im Jahre 1089 wurden die Wettiner Eigentümer. Ihre über 800 Jahre andauernde Regentschaft hat Sachsen entscheidend geprägt. Die günstigen Handelswege zogen immer mehr Siedler in Richtung Meißen: Bauern, Handwerker, Kaufleute aus Thüringen, der Oberpfalz, Niedersachsen. Im 12. Jahrhundert erhielt Meißen mit seinem gemischten Völkchen eine eigene Verwaltung mit Rat und Bürgermeister. Im 13. Jahrhundert erwarb das Wettinsche Adelsgeschlecht das Pleißenland, die Landgrafschaft Thüringen. Als im Jahre 1423 das Gebiet Sachsen-Wittenberg dazukam, wurde es zudem mit der Kurwürde belehnt. So erstarkt, war es im deutschen Reich ein wichtiger Machtfaktor. Macht verlangt nach Repräsentanz. Die Markgrafen Ernst und Albrecht beauftragten deshalb im Jahre 1471 Arnold von Westfalen, der als Meister der Gewölbetechnik in die Geschichte einging, mit dem Bau eines Wohn-, Verwaltungs- und Regierungsschlosses. Trutzig und Respekt erheischend steht sie da, die Albrechtsburg. Aber sie hat auch etwas Hoheitsvolles, es mangelt ihr nicht an Prunk. Regiert wurde jedoch niemals hier. Im Jahre 1485 führten Familienzwiste dazu, das Gebiet zwischen Kurfürst Ernst und Herzog Albrecht, den Söhnen Friedrichs des Sanftmütigen, aufzuteilen.

Meißens Burgberg mit dem Dom und der Albrechtsburg: hier hat Johann Friedrich Böttger die Rezeptur für das weltberühmte „Weiße Gold“ Meißens erfunden.

Die Mark Meißen, das Leipziger Gebiet und das nördliche Thüringen gingen in die Albertinische Linie ein – später kam die Lausitz dazu. Die Ernestiner regierten als Kurfürsten in Wittenberg. Die Albertiner bevorzugten Dresden als Residenz. Sachsen erlebte eine Glanzzeit auf kulturellem, technischem und wirtschaftlichem Gebiet. Aber es begann auch eine Zeit der Niederlagen. Nicht ruhmsüchtige Markgrafen, Herzöge, Kurfürsten oder Könige waren die „Geblaumeierten“, sondern die Untertanen. Im Laufe der Geschichte, in der Sachsen immer mehr zusammenschrumpfte, gab es mehr Besiegte als Sieger.

Noch einer war von Meißens Lage und Umgebung begeistert: Weingott Bacchus. Im 12. Jahrhundert flüsterte er seinen ergebensten Anhängern, den Bischöfen, ins Ohr, sie sollten das milde Klima nutzen und an den Hängen, die sich nach Süden neigen, immer entlang der Elbe, Reben anbauen. Mönche, Fürsten, Bauern legten los, und bald waren Meißen, Radebeul und Dresden von grünenden Weinbergen umschlossen. Wieviel Mühe es bereiten wird – verschwieg der Weingott. Dem Winzer wird allerhand abverlangt. Das Bewirtschaften der Steilhänge ist aufwendig. Aber die Weinbauern, es sind vorwiegend Hobbywinzer,

Entlang der sächsischen Weinstraße zwischen Meißen und Dresden erstreckt sich eines der nördlichsten Weinanbaugebiete Europas. Kenner lieben den trockenen Müller-Thurgau, Ruländer, Riesling und Traminer der Elbhänge, die meist von Hobbywinzern bewirtschaftet werden.

sind geschickt. Sie kennen die Tücken der Hänge, die noch allerhand Handarbeit erfordern. Wie vielen Rebstöcken mögen sie inzwischen das Klettern beigebracht haben, wie viele Male, gebückt unter der Erntelast, die Butten auf ihren Rücken bergauf und bergab getragen haben, wie häufig gegen Schädlinge zu Felde gezogen sein? Sie lieben ihre Weinstöcke und halten sich streng an die alte Regel: Der Weinstock will jede Woche seinen Herrn sehen! Nur gute Arbeit garantiert gute Früchte – zum Beispiel von der Müller-Thurgau-Rebe, der frühreifen mit feiner, dezenter Muskatnote. Oder dem Riesling, der zu den ältesten Rebsorten gehört: Er wird spät reif, liebt sonnige Herbsttage. Meißner Wein sei sauer, wird manchmal behauptet. Der Kenner lächelt, schweigt – und genießt.
Raubritter Kunz hatte einst mit seinen Gesellen eine Weinschenke besetzt. „Ein Faß her!“ brüllte er. Der ängstliche Wirt beeilte sich. „Viel zu sauer“, tobte er, nachdem er einen Becher gegen den Durst runtergekippt hatte. „Hol den besten Wein, sonst ...“ er zog sein Schwert. Der Wirt brachte ein neues Faß – er hatte nur eine Sorte. „Der ist würzig und mild“, versicherte er zähneklappernd. „Schon besser, aber noch nicht gut genug“, brummte Kunz nach einem weiteren Glas. Wieder rollte ein Faß heran. „Der ist richtig, warum nicht gleich so, du Wicht!“ Kunz trat den Wirt ins Hinterteil. Darin liegt das Geheimnis der Meißner Weine: Der wahre Genuß steckt nicht im ersten Glas. Genießer wissen das. Wären die Weine sonst so gefragt: der füllige zartblumige Weiße Burgunder, der würzige, an Rosenduft erinnernde Traminer – er sei der beste, sagt man, oder ist es der nach Honig schmeckende Ruländer. In einem der Weinrestaurants oder in der Probierstube der Winzergenossenschaft kann man beim Genießen von Gutedel, Goldriesling, Morio-Muskat, Scheurebe, Bacchus, Kerner selbst dahinterkommen.
Wenn man in Meißen über den Marktplatz geht, den desolaten Zustand der Gotik- und Renaissancehäuser bedauert, dann wieder verzaubert vor Stern- und Kreuzgewölben, plastischem Bildschmuck oder vor dem Tuchmachertor verweilt, sollte man nicht verpassen, auf den einzigartigen Klang der Porzellanglocken in der Frauenkirche zu lauschen. Es ist

das erste Glockenspiel aus Meissner Porzellan – eingebaut im Jahre 1929. Wer dann noch mehr über das Weiße Gold erfahren will, kann in die Manufaktur ins Triebischtal gehen. In der Schauhalle erfährt man Geschichtliches, in der Vorführwerkstatt kann man beim kunstvollen Modellieren zusehen oder den Malern über die Schulter schauen. Leicht und sicher tänzeln die Pinsel über das Porzellan. Der Weg zu dieser Kunst führt über Fleiß und Talent – und die Zeichenschule der Manufaktur. Sie schult Auge und Hand für traditionelle und neue Dekore. August der Starke, versessen auf Kunstschätze und Prunk, trank Kaffee, Tee, Schokolade nur aus feinstem Porzellan. Er ließ es aus China kommen. Das kostete viel Geld. Davon hatte er nie genug. Da hörte er von einem Alchimisten, der Gold zu machen verstand: Johann Friedrich Böttger. Den ließ er einsperren. Er erhielt welches. Allerdings weißes – aus einer Mischung aus Kaolin, Feldspat, Quarz und anderen Rohstoffen. Böttger hatte das Porzellan erfunden. Das war nicht minder wertvoll. Meißens Albrechtsburg wurde aus dem Dornröschenschlaf geweckt. Böttger sollte dort Porzellan en gros herstellen. Für sein Jagdschloß forderte der starke August Tafeldekoration, Porzellanfiguren, Tierplastiken,

Die Porzellanmaler in der Meißner Manufaktur müssen gleichzeitig peinlich genau und doch schwungvoll arbeiten, denn sowohl Detailtreue als auch Kunstfertigkeit sind bei der Bemalung der Chinoiserien und feinen Geschirre notwendig.

Wer auf dem Markt in Meißen einkauft, wird von den zarten Tönen des Porzellan-Glockenspiels im Turm der Frauenkirche belohnt.

Kronleuchter, Spiegelrahmen. Zur Ostermesse im Jahre 1710 wurde zum ersten Mal in Leipzig Meissner Porzellan ausgestellt. Es war die große Sensation. Und die ist es bis zum heutigen Tag geblieben. Eines der beliebtesten Dekore ist das phantasievolle blau-weiße Zwiebelmuster. Es bedarf allerdings einiger Phantasie, will man Zwiebeln entdecken. In der Manufaktur erfährt man denn auch, daß in diesem fernöstlichen Dekor Granatäpfel, die mit dem Symbol der Fruchtbarkeit behafteten, dargestellt werden. Im Zentrum stehen: Bambus und eine Blütenmischung aus Chrysanthemen und Lotos. Liebhaber gibt es aber auch für Weinlaub, Drachen- und Rosenmuster oder Streublümchen, für die vielerlei zerbrechlichen, kostbaren Figuren: Höflinge, Tänzerinnen, Jungfrauen, Harlekine, Jäger, Handwerker, für Porzellan mit Hafen-, Jagd- oder Landschaftsszenen oder für das für den Grafen Brühl angefertigte Schwanenservice, deren Schöpfer Lieblingskinder Poseidons gewesen sein müssen.

Der starke August sah dem Böttger sehr auf die Finger. Das Geheimnis des Porzellanherstellens sollte streng geheim bleiben. Zwischen Meißen und Dresden richtete er eine Depeschenstrecke ein. Kuriere hatten Order, ihn auf dem laufenden zu halten. Die aber liebten Meißens Schenken mehr als ihre Wegstrecke. Sie waren unpünktlich und meistens betrunken. Da befahl der Kurfürst den Obermeister der Bäckergilde zu sich. Er forderte ihn auf, ein leicht zerbrechliches Gebäck, den Meißner Fummel, herzustellen. Das hatten die Kuriere ab sofort auf ihren Wegstrecken mitzuführen und bei Ankunft vorzuzeigen – unversehrt. Sonst: Kopf ab! Das Fummel-Rezept ist noch heute geheim, ein anderes, nicht weniger legendäres, sei hier genannt, eine Meißner Spezialität: Quarktorte ohne Boden – Leib- und Magenspeise vom starken August! Oder soll's was Herzhaftes sein? Da müßte ich mir aber erst Elbtalwein besorgen. Denn für den originalen Meißner Wurzelkarpfen braucht man mindestens zwei Schoppen. Die gießt man über portionierte Karpfenstücke und feingeschnittenes Gemüse: Karotten, Porree, Sellerie und läßt alles auf kleiner Flamme köcheln. Und wenn man dann noch einen Schoppen dazu trinken will oder zwei ... Fisch will schwimmen ...

BANANAS

IN DRESDEN: ABER BITTE HOFFÄHIG

August der Starke als vergoldetes Reiterstandbild auf dem Neustädter Markt in Dresden. Seinem Ehrgeiz und seiner Sammelleidenschaft verdankt das Elbflorenz die unermeßlichen Kunstschätze.

In Dresden, dem vielgepriesenen und arg geschundenen, braucht man Zeit und Geduld. Autos stauen sich an Kreuzungen, Parkplätze sind knapp, die Straßenbahnen überfüllt. In Sachsens Hauptstadt wird rasant gebaut – wie in vielen anderen Städten auch. Ganz Sachsen ist froh darüber, die Unbequemlichkeiten werden in Kauf genommen. Aufgerissene Straßen, unzählige Gerüste, Absperrungen, Umleitungen halten Touristen nicht ab. Sie bestürmen die Stadt, stehen voller Andacht vor den Kunstschätzen, auch vor dem feuervergoldeten Denkmal August des Starken, dem „Goldenen Reiter", auf dem Neustädter Markt, gefertigt vom Kanonenschmied Wiedemann um 1732. Was wäre Dresden ohne seinen starken August! Der ursprünglich nicht für den Thron bestimmte Barock-Fürst mit seiner Vorliebe für Jagd, Sport, Soldaten und schöne Frauen, berühmt wegen seiner Kräfte, hatte beschlossen, aus Dresden ein sächsisches Versailles zu machen. Die Reisen nach Frankreich, Italien und Spanien, wo er sich an Damen, Malerei, Literatur, Bau- und Gartenkunst berauschte, sollen ihn gebildet, aber auch verdorben haben. Er war dem Glanz verfallen. Er wollte der größte Kunstsammler seiner Zeit sein. In allem war er ohne Maß – sogar bei den Frauen. Neben einer Angetrauten – Eberhardine von Bayreuth – hatte er zahlreiche Nebenfrauen. Sie liebten ihren Glamour-„Geenich", kosteten seine Leidenschaft – und wurden beiseite geschoben. Eine hat es hart getroffen. Sie war zum Objekt der Herrscherlaune geworden: Gräfin Anna Konstanze von Cosel. Die Liebliche, Kluge, Ehrgeizige war auch ein wenig intrigant und herrschsüchtig. Das mißfiel dem starken August. Er sperrte sie für den Rest ihres Lebens, immerhin 49 Jahre, in einen Turm auf Burg Stolpen. Die Gräfin sah ihren geliebten August nie wieder. Der wiederum soll mindestens 365 Kinder in die Welt gesetzt haben. Was dem Sachsen die Gewißheit gibt, mit dem Frauenverehrer – schließlich liegt das etliche Jährchen zurück und man konnte sich indes vermehren – blutsverwandt zu sein. Unter Augusts Regentschaft entstanden der Zwinger, das Japanische Palais, die Frauenkirche, Jagdschlösser (nicht nur zum Jagen, auch für Schäferstündchen) wie etwa Schloß Pillnitz, Schloß Moritz-

burg. Er regierte, liebte, sammelte, jagte, letzteres auch mit großer Leidenschaft. In den Jahren von 1710 bis 1726 soll er bei Hofjagden „6.684 Stück Rothwild, 1.396 Sauen, 363 Rehe, 6.498 Hasen, 1.737 Füchse, 183 Dachse, 36 wilde Katzen" erlegt haben. Da die Journale nur lückenhaft sind, ist anzunehmen, daß die Zahlen weitaus höher liegen. Freilich waren damals die Wälder undurchdringlicher und wildreicher als heute. In den Wintern kamen hungrige Wölfe und Bären nahe an Dörfer und Städte, um Nahrung zu finden. Wildbret galt als Delikatesse auf der Fürsten Tisch. Mit Vorliebe mochte man es am Spieß gebraten oder als Riesenpastete, in Teig gehüllt. Auch als Braten, wieder mit dem Fell bekleidet, wurde es zur Tafel gebracht. Man füllte das Wild mit Würstchen, mit gebratenen Lerchen und Drosseln und anderen Köstlichkeiten. Es wird erzählt, daß beim Anschneiden lebendige Vögel in die Luft flogen. Auch die französische Küche – schließlich war man weltoffen – hielt Einzug: Frikassees und Ragouts wurden mit Vorliebe verspeist. Nicht selten mußten leibeigene Bauern bei herrschaftlichen Jagden als Treiber fungieren. Aber weh ihnen, wenn sie wagten – die Verzweiflung mag sie schon mal dazu getrieben haben – ihre

Dresdens barockes Schaustück ist der Höhepunkt für jeden Besucher: der Zwinger. Mathäus Daniel Pöppelmann schuf ihn für die üppigen Hoffeste des starken August.

Nächste Doppelseite: Die Dresdner Semperoper bei Nacht.

In der Nacht vom 13. auf den 14. Februar 1945 schien Dresdens Schicksal besiegelt. Gezielte Fliegerangriffe äscherten die Stadt flächendeckend ein. Nur wenig blieb verschont, und die Aufbauarbeiten werden bis lange ins nächste Jahrtausend dauern. Dieser wunderschöne Milchladen im rechtselbischen Dresden-Neustadt hat alle Erschütterungen bis heute überlebt.

Nächste Doppelseite: Grandioser Blick von den Basteifelsen ins Elbtal.

magere Küche mit einem Stück Wildbret aufzubessern, dann drohte ihnen „in unseren Landen der Galgen".
Beliebt waren auch die gefiederten Jagden – die vornehmste von allen –, die Falkenjagd. August der Starke sei der hervorragendste europäische Falkner gewesen, heißt es. Die Falken standen in hoher Gunst, sie begleiteten ihre Herren bei Festlichkeiten, ja sogar in Kirche und Krieg. Alles vom Feinsten und die Zutaten so vielfältig wie möglich – so wünschte man es sich auch in der bürgerlichen Küche. Die Dresdnerin verleugnet die Hofdame nicht – und kredenzt mit Vorliebe verpackte Überraschungen. Man liebt – genau so wie einst bei Hofe – die Zeremonie, oder ist es Gemütlichkeit? Essen soll spannend sein. Fleisch, Gemüse, Teige haben deshalb interessante Innenleben. Mit Begeisterung wird gewickelt – Rouladen aus Fleisch und Gemüse oder auch Kuchenrollen.
Naschen liegt dem Sachsen im Blut. Die Dresdner ersannen zudem allerlei, was des Naschens wert war. Die berühmteste Spezialität ist die Weihnachtsstolle. Die Dresdner haben sie zwar nicht erfunden, aber sie machten sie zu der Köstlichkeit, die sie heute ist: ein nach Marzipan schmeckender, schwerer Hefekuchen mit reichlich in Rum getränkten Rosinen und Korinthen, mit Zitronat, Orangeat und Mandeln. Was wäre Weihnachten ohne Stolle? Die erste, noch recht magere Stolle bereitete man schon im 14. Jahrhundert. Buttrig schmeckte sie nicht. Denn in der Vorweihnachtszeit durfte wegen des Adventfastens Öl nur sparsam verwendet werden. Erst im Jahre 1663 zeigte ein Papst Verständnis und hob das Butterverbot auf. Vermutlich hatte ihm die zum Verkosten gesandte Stolle nicht geschmeckt.

Die Oberlausitz, das Osterland

Mit der Bimmelbahn geht's auf den schmalen Spuren von Zittau nach Jonsdorf in den südöstlichen Teil der Oberlausitz ...

Auf der kulinarischen Reiseroute geht's weiter in die Oberlausitz. In Pulsnitz lohnt es, zu rasten. Hier sollte man Pulsnitzer Pfefferkuchen probieren. Jedes Mal, wenn ich hier ankomme, scheint die Sonne. Es ist ein milder Augusttag. Viele Leute tragen Zuckertüten unterm Arm. Bald ist Schulanfang. Aber in den Straßen riecht es nach Weihnachten. Der liebliche, verführerische Duft kommt aus den vielen Pfefferküchlereien, die das ganze Jahr über Pfefferkuchen – längliche, viereckige, kleine, große, runde – herstellen. Mit Mandeln obenauf, mit Schokoladen- und Zuckerglasur. Man kann sie zu jeder Zeit kaufen, auch die Herzen, auf die mit bunter Zuckerfarbe geschrieben wurde: „Für mein Schätzchen", „Für immer Dein", „Ich liebe Dich", „Du bist mein" ...
Die älteste Pfefferküchlerei gehörte Tobias Thomas. Er hatte sie 1743 gegründet. Eine Tafel an der Hausfront kündet von alten Zeiten. Wie konnte in diesem Puppenstubenhaus gewohnt, gebacken, glasiert, verziert, verkauft werden? Wie so eine Küche ausgesehen hat und wie es zuging bei Pfefferküchlers, erfährt man, wenn man ein paar Kilometer zulegt – in Weißenberg. Dort steht das einzige Pfefferkuchenmuseum Deutschlands. Es ist nicht zu übersehen, das leuchtend gelbe, bescheidene Haus. Über der Eingangstür steht groß: Alte Pfefferküchlerei. Im Schaufenster des kleinen Lädchens liegen geschnitzte Pfefferkuchenmodel, Topfformen, lustige, mit buntem Zuckerguß bemalte Pfefferkuchenmänner und -frauen neben Herzen, Hühnchen, Eseln, Wölfen, Schafen. Man sollte ruhig durch die niedrige Tür treten und sich die bunt bemalten Bauernmöbel, das Kücheninventar ansehen: Waagen, Kannen, Schüsseln, Töpfe, Tröge. Um 1683 entstand hier die erste Pfefferküchlerei. Aus dieser Zeit stammt auch der altdeutsche Backofen. Er wurde aus Ziegeln gebaut und hat eine gewölbte und beachtlich geräumige Backröhre, etwa zweieinhalb Meter tief und zwei Meter breit – da paßte was rein.
Südlich an Weißenberg führte die Handelsstraße Via Regia, auch Königs-, Salz- oder Pfefferstraße genannt, vorbei. Weißenberg wurde deshalb im 13. Jahrhundert zur königlichen Stadt erhoben. Ich stelle mir vor, wie sehnsüchtig die Küchler die Handelskarawanen mit den orientali-

schen Gewürzen erwarteten. Sie
nannten sie Pfefferwagen. Weil
sie bei ihnen die Gewürze für
hre Backwerke kauften, wurden
aus den einstigen Labe- oder Leb-
kuchen die Pfefferkuchen. Ge-
pfeffert wurden sie freilich nie!
Da habe ich so gründlich in den
Autoatlas geguckt und mich trotzdem verfahren. „Dunnerschtag
und Freitag“ (Verflixt noch mal!)
würde jetzt der Oberlausitzer
sagen. Ich suche nach einem
Ortsschild. Nichts. Von einer
Umleitung fuhr ich in die nächste
Umleitung, von da wieder in eine
Umleitung – gelandet bin ich auf
einem Feldweg! Überall werden
Straßen gebaut. Jede Stadt, jedes
Dorf sputet sich, bevor der Winter kommt. Rechts und links nur saftige Wiesen und gepflügte Felder. Kein Mann, keine Maus. Oder hat Martin Pumphut, der sächsische Eulenspiegel, Narrgeist aus dem Dorfe Spuhla, seinen Schabernack mit mir getrieben? Noch heute soll er ja mit seinem spitzen, grauen Hut durch die Lande eilen und eine Gaudi daran haben, die Leute an der Nase herumzuführen. Ich weiß, daß man dem ewig Hungrigen immer etwas Eßbares anbieten muß, sonst spielt er einem arg mit. Vorsichtig sehe ich mich um ... Plötzlich höre ich Motorengeräusch. Ich hatte doch noch

... oder am Himmelfahrtstag mit dem geschmückten Pferdewagen: Hier hält man viel von Bräuchen und Tradition.

Die sorbischen Ostereier sind kleine Kunstwerke. Die filigranen Muster entstehen durch Abdecken mit Wachs vor dem Färben.

Bemmen in der Tasche, kann er kriegen ... Aber der da aus dem Auto steigt, hat keinen spitzen Hut auf. Er sieht erstaunt auf mein Brot, das ich ihm entgegenhalte. Er ist ein Irrläufer – wie ich. Sofort erkenne ich den Oberlausitzer. Er quirlt beim Sprechen „rrrrrrrrrrr“, weshalb man auch vom „Äberlausitzer Edelruller“ spricht. Ich höre es gern. Es hat etwas Kraftvolles, Beruhigendes. Nicht alle Sachsen sprechen sächsisch. Es gibt Vogtländer und Erzgebirgler mit ihrer eigenen Mundart, und die Oberlausitzer mit dem unverkennbaren „rrrrrr“, dazu noch eine kleine Minderheit, die Sorben.

Dieses kleine westslawische Völkchen mit eigener Schriftsprache – einer obersorbischen in der Oberlausitz, die sich aus dem Bautzener Dialekt entwickelt haben soll, und einer niedersorbischen in der Niederlausitz, die zum Land Brandenburg gehört, hervorgegangen aus dem Dialekt um Cottbus –, verhalf diesem Landstrich, der „Äberlausitzsch“, zu einem zweiten Namen: Osterland. Und das wird so bleiben, so lange es Hühner gibt! Denn hier zaubert man die längst berühmten, kunstvollen, mit Ornamenten verzierten, Ostereier. Jedes Jahr entstehen neue Unikate. Dabei zuzusehen ist ein Vergnügen. Mit Gänsefedern, deren Spitzen in eine Mischung aus heißem Kerzen- und Bienenwachs getaucht werden, zeichnet man die zierlichsten Muster auf die zerbrechliche Ware: Kreise, Blütenkränze, Pünktchen, Dreiecke. Für die winzigen Striche und Punkte müssen Stecknadeln herhalten. Sobald das Wachs fest geworden ist, taucht man das bearbeitete Ei einige Minuten in eine vorbereitete Farblösung. Die mit Wachs bemalte Fläche bleibt weiß, alles andere ist farbig. Sobald das Kunstwerk trocken ist, kann man es erneut mit Wachs bemalen und dann in eine andere Farblösung tauchen. Das kann so weitergehen, je nachdem, wie bunt die Eier sein sollen. Zuletzt wird das aufgetragene Wachs ein wenig erwärmt und vorsichtig abgewischt. Am Gründonnerstag beschenkt man mit diesen bemalten Eiern die Kinder. Und da die Verwandtschaft groß ist, kommt meist ein riesiger Eierberg zusammen – und der muß auch noch aufgegessen werden. Welche Tragik, daß dabei die Kunstwerke zerstört werden müssen! Aber bemalte Eier schmecken nun mal erst richtig gut, behaup-

In der katholischen Oberlausitz werden kirchliche Feiertage wie eh und je gefeiert. Das Segnen der Felder und Äcker, bevor der Bauer seine Saat ausbringt, möge Unwetter und Mißernten abhalten.

Ein weiteres Beispiel des sächsischen Barock aus der Zeit Augusts: das Schloß in Rammenau.

ten die Kinder. Und nicht nur sie. Längst hat diese Malkunst Schule gemacht. In ganz Sachsen und darüber hinaus gibt es Fans mit mal mehr, mal weniger gelungenen Malversuchen.
Und nicht nur dieses österliche Brauchtum blieb lebendig: Für Aufsehen sorgen alljährlich aufs neue viele stattliche Männer – jüngere und ältere – in Frack und Zylinder, bereit zum Osterritt nach festgeschriebenem Ritual. Stolz, mit aufgerichtetem Rücken, sitzen sie auf dunklen, herausgeputzten Pferden, deren Schwänze oftmals bauschig gebürstet wurden, damit die weißen, handgearbeiteten, reich bestickten Schleifen gut zur Geltung kommen. Die Pferdeköpfe erstrahlen im Silberschmuck, das Zaumzeug ist mit Perlmutt besetzt. Einstmals wollte man mit diesen Ausritten die Dämonen bannen. Deshalb ging oder ritt man jedes Jahr, bevor man den Acker bestellte, um die Saatfelder. Später segnete der Geistliche, während man in feierlicher Prozession singend durch die Fluren wandelte, die Felder. Auch heute schallt der Gesang weit, wenn die berittene Schar zur Kirche, zum Friedhof und dann in die nächste Ortschaft reitet, wo Kaffee und Kuchen und Hochprozentiger bereitstehen. Ob der eine oder andere beim Osterwasserholen die Mädchen geneckt hat, wird nicht preisgegeben. Nachts, punkt zwölf Uhr, eine Nacht vor Ostern, wird das heilkräftige Wasser, das immer aus fließendem Gewässer stammen muß, geholt. Wer auf sich hält, wäscht sich an Ort und Stelle. Das Wasser, das nach Hause getragen wird, ist gut gegen Krankheit, Liebesweh und Warzen. Außerdem macht es schön. Warum habe ich mir eigentlich noch nie dieses Schönheitswasser geholt? Naja, das nächste Osterfest kommt mit Sicherheit bald ...
Ich weiß nun, wie es weitergeht: nach Dreikretscham. Dort wird geheiratet. Vielleicht sehe ich das Brautpaar. Der Wirt ist gestreßt. Aber ich bekomme Zutritt. Ich möchte wissen, was man so auftischt auf einer sorbischen Hochzeit. Ich darf im Parkett sitzen. Die Braut trägt ein weißglänzendes Kleid, keine Tracht, und einen langen Schleier. Der spielt noch eine Rolle – aber erst um Mitternacht. Gerade werden von den Gästen und Verwandten Geschenke überreicht. Alles geht nach Protokoll, dafür sorgt der Hochzeitsbitter. Er fordert, frei-

Die gesamte Dorfanlage von Obercunnersdorf steht unter Denkmalschutz. Die für die Oberlausitz typischen Umgebindehäuser tragen die ganze Konstruktion auf Holzbalken.

gebig die Hände zu öffnen und den jungen Leuten, je nach Vermögen, zur Erinnerung an diesen Tag und als Beweis der Freundschaft die zugedachten Gaben zu überbringen. Um die Braut herum stehen die Druschkas, die Brautjungfern. Schwarz gekleidet in kniebedeckten, weiten Röcken. Ihr zur Seite sitzt die Swonka, die Brautbeschützerin. Keine Minute darf sie von der Braut weichen. Sie hat die herrliche Tischdekoration bereitet: Schäfchen und Hähne aus Butter. Sie verkünden: Viele Kinder sollt ihr kriegen, liebes Brautpaar ... Früher war es üblich, erfahre ich, daß die Braut die Federbetten mitbrachte. Heute sieht man alles lockerer. Der stattliche Mann in würdevoller Haltung im schwarzen Gehrock fordert erneut auf, die Hände zu öffnen. Er hat schon allerhand leisten müssen heute: Frühmorgens mußte er die ankommenden Gäste im Hause des Bräutigams begrüßen und bewirten. Dann machte sich der Hochzeitszug auf den Weg zur Braut. Der Hochzeitsbitter mit schwingendem, bändergeschmücktem Stab vorne an. Im Hause der Braut angekommen, hören ihm alle zu: „Hochgeehrte Gäste, Zuhörer und Zuschauer! Ihr wollt mir verzeihen, wenn ich vielleicht mit irgendeinem Worte mich versprechen oder nicht den richtigen Ausdruck fin-

den sollte. Aber selbst ein Pferd stolpert mit seinen vier Beinen. Und ich habe doch nur eine Zunge! Wir haben hier unter uns zwei Personen, die in den heiligen, von Gott eingesetzten Ehestand treten wollen ..." Jetzt geht's zur Trauung und anschließend zum Hochzeitsmahl. –
Die Tische sind abgeräumt. Einige der Hochzeitsgäste machen einen Verdauungsspaziergang, andere warten auf den Tanz. Gleich wird es losgehen, ununterbrochen.
Im Saal nebenan wird es lebhaft, man tanzt und singt. Hin und wieder gibt der Hochzeitsbitter einen Schwank zum besten. Verwandte und Bekannte schneiden in der Küche Kuchen auf. Die Tanten des Brautpaares reichen Kuchenteller herum. Bedienen ist eine Ehre. So üppig wird freilich nur bei Hochzeiten gespeist. Danach geht es auch bei den frisch Vermählten in der Küche sparsamer, aber nicht weniger schmackhaft zu.
Das Lied von der Vogelhochzeit schallt herüber. Die Stimme des Hochzeitsbitters, des Lustigmachers, ist unüberhörbar: „Der Hahn, der Hahn, der Hahn, – Das ist der Bräutigam; – Das sanfte Huhn, das war die Braut, – Die ward dem Bräutigam angetraut. – Der Aar, der Aar, – Der kämmt der Braut das Haar. – Der Wiedehopf, der Wiedehopf, – Der

Bei der Hochzeit feiern die Sorben mit dem ganzen Dorf. Alle kommen auf ihre Kosten, ganz besonders die Kinder.

bringt ihr den Pomadentopf."
Während ich mitsumme, fällt mir ein, daß die Vogelhochzeit auch in der sorbischen Sagenwelt eine Rolle spielt: Am 25. Januar vermählen sich Rabe und Elster. Sie und ihre Vogelschar wollen an diesem Tag auch die Kinder verwöhnen. Besonders diejenigen, die die Gefiederten während des harten Winters mit Futter versorgten. So liegen als Dankeschön Süßigkeiten auf den Fensterbänken. Die Kinder fühlen sich in dieser Rolle als Hochzeitsgast sehr wohl. In einigen Dörfern flattern sie in Vogelkostümen durch die Straßen. Dieser Tag gilt der Vogelwelt.
Um Mitternacht ist der Schleiertanz. Der Braut wird der Schleier abgenommen, sie ist nicht mehr Mädchen, sondern Frau. Die Stunde ist gekommen, wo der Hochzeitsbitter die Brautleute in ihr „Gemach" führen muß. Aber zuvor verabschiedet er die Braut von Eltern, Geschwistern, Onkeln, Tanten, Vettern, Nachbarn. Das macht der Redegewandte in pastoralem, ein wenig weinerlichem Ton – jetzt rollt so manche Träne ... Eine sorbische Hochzeit dauert mindestens drei Tage. „Dunnerschtag und Freitag!"

Die Altstadt von Bautzen gilt als eine der schönsten in ganz Sachsen. Zwischen engen Gassen mit altem Kopfsteinpflaster und den historischen, oft renovierungsbedürftigen Häusern liegt der gernbesuchte Markt.

Erzgebirge – Weihnachtsland

Stolz präsentieren die Annaberger bei der alljährlichen Bergparade ihre Uniformen und lassen längst versunkenen Bergmannsstolz wieder aufleben.

Eines Nachts erschien im Traum dem Bergmann Daniel Kanapp die heilige Anna. Sie legte eine Hand auf seinen Kopf, und mit der anderen zeigte sie auf drei beieinanderstehende Tannen am Schreckenstein. „Hier an dieser Stelle schlage ein“, befahl sie mit süßer Stimme. Der Bergmann erzählte den Traum seinem Kurfürsten. Und tatsächlich, als Daniel einschlug, strahlte ihm so heller Silberglanz entgegen, daß er seine Hände vor die Augen nehmen mußte. Der Kurfürst ließ zum Andenken an diesen Fund Engelsgroschen prägen, und die Ansiedlungen um den Schreckenstein nannte er fortan Annaberg. Da erscholl „Berggeschrey“, daß es nur so durch die Berge hallte. Tausende kamen, um nach Silber zu schürfen. Annaberg wurde bald eine reiche Stadt.

Noch mehrmals ertönte im Erzgebirge das Berggeschrei, polterten Loren über Schienen, kamen neue Siedler und suchten Unterkünfte. Sie schürften nach Eisenerz und Zinn. Ab Mitte des 18. Jahrhunderts aber wurden die Schätze rarer, und man mußte nach einem anderen Broterwerb Ausschau halten. Mit der Landwirtschaft hatte man es versucht. Aber der karge Boden gab nicht viel her – die Winter sind lang und kalt. Mit Kartoffeln hatten sie Glück. Die anspruchslose Knolle gedieh. Auch die Kräuter im Garten, Zwiebeln und Knoblauch. Dazu hatte man ein paar Tiere im Stall: Hühner, Schafe, vielleicht auch ein Schwein. Üppig lebten die Erzgebirgler nie. Der Verdienst in den Gruben war gering. Deshalb hatten viele Bergarbeiter einen Zweitberuf. Sie drechselten und schnitzten: Bergmänner, Engel, Nußknacker. Andere gingen hausieren. In ihrer Bucke-Apotheke – ein Holzgestell mit einem Korb, das auf dem Rücken getragen wurde – hatten sie Küchenkräuter und Tee, Hirn- und Hauptwasser gegen Kopfschmerz, Krammetsvögelspiritus gegen Beulen, Schreckpulver, Schönheitsmittel, Hagebutten- und Wacholderliköre, Schneeberger Schnupftabak, der Gedächtnis und Nieren stärken und den verlorenen Geruch wiederbringen sollte.

Frauen und Mädchen mühten sich auch um einen Zugroschen. Sie klöppelten mit flinken Händen Tücher, Spitzenkragen, Decken. Andere häkelten, webten, flochten aus Wolle, Seide und Garn Borten, Bänder, Schnüre. Erzgebirgische Klöppelspitzen

Jeder verbindet mit Erzgebirge Holzspielzeug und Kunsthandwerk, dessen Herstellung im Seiffener Museum bewundert werden kann.

und Posamenten wurden berühmt. Es gab keinen Abend, wo nicht gemeinsam mit Freunden und Nachbarn gearbeitet wurde. „Hutzengehn“ nannte man das gesellige Zusammentreffen. Vor ihnen auf dem Tisch stand die Klöppelflasche. Das waren runde, mit Wasser gefüllte Flaschen aus dünnem Glas. Dahinter brannte ein Lämpchen und warf einen klaren Schein auf das Spitzenmuster. Während der Arbeit wurde gescherzt und erzählt. „Wenn erst wieder Kät sein wird ...“ mag es sehnsüchtig aus einer Ecke getönt haben. Denn die Annaberger „Kät“ war und ist das größte erzgebirgische Volksfest, vergleichbar etwa mit dem auf der Dresdner Vogelwiese oder der Leipziger Kleinmesse. Hei, da stürzen sich jubelnd, kreischend, lärmend jung und alt ins Vergnügen. Sie lassen sich von Schaustellern einfangen und von Budenverkäufern Waren andrehn, die sie eigentlich gar nicht brauchen. Ihnen gruselt es in der Geisterbahn, und wenn einer eine Jungfrau durchsägt, sehen sie ganz genau hin. Alljährlich „verzn Tog noch Pfingstn is de Kät“. Mit einem Mädchennamen hat sie nichts gemein. Das Volksfest ging aus dem Fest der Dreifaltigkeit hervor. Von der Dreifaltigkeit ließ der etwas mundfaule Erzgebirgler (so ist er nun mal) nur die letzte Silbe übrig. Und

Jeder Ort hat seine eigenen Uniformen und Vereinsfahnen. Was heute prächtig und prunkvoll aussieht, hieß früher vor allem knochenharte Arbeit unter Tage und karger Lohn, und das auch nur, bis die Minen ausgebeutet waren.

die machte er sich auch noch mundgerecht: „Kät".
Ja, und Kließ, das Gebäck für kleine Anlässe war immer dabei. Süßer gebutterter Hefeteig, an dem auch Eier nicht fehlen, wird zum Kranz oder zu Brot geformt, gebacken und warm gegessen. War ein Hausherr besonders gut aufgelegt und hatte er die nötigen Zutaten, gab es auch mal Aardäppelkuchen. Dafür wurden dem Hefeteig gekochte, geriebene Kartoffeln, Eier und Butter zugegeben. Manchmal auch Rosinen, gehackte Mandeln und feingeschnittenes Zitronat. Nicht genug: Der ausgerollte Teig wurde mit Butter begossen und mit Zucker und Zimt bestreut. Aardäppelkuchen durfte auf keinem großen Fest fehlen. Er hatte und hat immer noch seinen festen Platz neben den Hefekuchen, die dick mit Schwarzbeeren (Heidelbeeren), Kürbis, Äpfeln oder Pflaumen belegt sind. Aus dem Vogtland kam die Kunde, daß Kartoffeln nicht nur gut anzubauen, sondern auch genießbar waren. Sogar für das Vieh ließen sie sich verwenden. Die ersten Kartoffelgerichte waren einfach und anspruchslos – wie die Zudelsuppe: in kochendes Wasser rieb man einige geschälte rohe Kartoffeln, gab etwas Sauerkraut dazu. Gewürzt wurde mit Salz, Majoran, Kümmel. Dazu gab es Brot mit Speckfett. Aardäpplglit-

Aus Bergleuten wurden Holzschnitzer, die Frauen besserten mit Spitzenklöppeln das Haushaltsgeld auf. Nußknacker, Räuchermännlein, Lichterengel und Weihnachtspyramiden sind heute die Exportartikel einer nur vermeintlich heilen Welt.

scher, manche nennen sie Latschen, Fratzen, Frätzle, griene Glitscher, Buttermilchgetzen, waren da schon eher willkommen und sind es bis heute. Rohe geriebene Kartoffeln, verfeinert mit Eiern, einem Schwapp Buttermilch und wenig Mehl, werden in Leinöl gebacken, mit Zucker bestreut und mit reichlich Apfelmus verschmaust. Oder Kartoffelbrei: daran kommen nicht nur geröstete Zwiebel- und Speckwürfel, sondern auch noch zerkleinerte, gebratene Heringe und gehackte Petersilie. Viele dieser Gerichte kann man in erzgebirgischen Gasthöfen probieren. Auch Pellkartoffeln mit Kümmelquark und Leinöl. Das aß ich mit Freunden in Seiffen, nachdem wir uns in dem malerischen Spielzeugdorf und in den Schauwerkstätten hungrig gelaufen hatten. Weihnachtsland, Land des Lichts, nennt man das Erzgebirge, weil hier die bekannten Weihnachtsfiguren geschnitzt und gedrechselt werden: Bergmann und Lichterengel, Krippenfiguren und Posaunenengel, Kurandesänger und Räuchermänner, Pyramiden und Nußknacker. Schon vor zweihundert Jahren konnte man im Handbuch für Reisende durch die Sächsischen Lande lesen: „Gegenwärtig werden hier viele hölzerne Spielwaren gefertigt, die man bis nach Ost- und Westindien versendet." In der Schauwerkstatt bestaunen wir die Geschicklichkeit der Spielzeugmacher. Faszinierend ist das Reifendrehen: In eingespanntes, rotierendes Fichtenrundholz werden mit einem Eisen Einkerbungen gedrechselt. Danach schneidet man das Rundholz in Scheiben – und vor einem liegen plötzlich haufenweise Schafe, Rehe, Kamele ... Der Reifendreher reicht schon mal eines der Tierchen rüber, wenn große Kinderaugen und ein staunendes „oh" ihn erweichen. Kaum einer verläßt Seiffen ohne einen Karton mit einer Pyramide oder einem Nußknacker unterm Arm.

Eine handwerkliche Besonderheit ist das Reifendrehen. In Fichtenrundhölzer werden durch Drehen Rillen in das Holz gedrechselt, die dann in Scheiben geschnitten werden. So entstehen Pferdchen, Kamele, Schafe, Kühe . . .

Vogtland ist Kartoffelland

Die Vogtländer waren die Vorreiter im Kartoffelanbau. Von Würschnitz aus eroberte die braune Knolle Äcker, Küchen und Mägen aller Deutschen.

Schillernd zwischen Grün und Grau, außen heller und noch lockerer als innen und in der Mitte – nicht zu viel und nicht zu wenig – goldgelb gebratene Semmelwürfel! So müssen vogtländische Klöße sein. Von den thüringischen Klößen unterscheiden sie sich weniger durch Geschmack und Aussehen, als durch die Berühmtheit. Wer spricht von vogtländischen Klößen? Nicht einmal die Vogtländer selbst. Sie nennen sie „Griegeniffte". Was so viel heißt wie grün Geriebene, niffen bedeutet mundartlich reiben. Bei der Zubereitungsart gibt es allerdings Unterschiede: Die Thüringer Köchin gibt zu ihrer Kartoffelmasse aus roh geriebenen Kartoffeln, aber bloß nicht zu fein und auch nicht zu grob, heißen Kartoffelbrei, die Vogtländerin heiße Milch und einen Anteil gekochte, gepreßte Kartoffeln. Eventuell, das ist von Ort zu Ort verschieden, auch noch einen Eßlöffel voll Meerrettich. Gemeinsam haben beide Kloßvarianten: die Teigmasse muß geschmeidig sein, und in die Mitte gehören knusprig-buttrige Semmelwürfel. Gegessen werden sie da wie dort mit Leidenschaft – zu Braten mit großen Portionen feinster würziger Sauce und mit Sauerkraut oder Rotkohl.

Machen die Vogtländer auch nicht viel Wind mit ihren Klößen, ihren Speisen überhaupt, darauf bestehen sie: Sie waren die ersten Kartoffelanbauer Deutschlands. In Würschnitz wohnte ein Zimmermann, Hans Wolf. Der wurde der „alte Wolf" genannt. Nicht des Alters wegen, sondern weil er es faustdick hinter den Ohren hatte. Das Alter stand für schlau, gerissen, erfahren. Das war er! Er reiste gern, „spitzte" da und dort, wo es was zu erlauschen gab. Im Jahre 1680 hatte er das ausgiebig in Amsterdam getan und eine wenig ansehnliche, aber eßbare Knolle mitgebracht. Er nannte sie Erdapfel. „Das Gute kommt von unten", erklärte er seinen Nachbarn und zeigte ihnen, wie man den Erdapfel einpflanzt. Nach der ersten Ernte kochte Lotti, seine Frau, einige dieser Dinger und legte sie auf den Küchentisch. Mit der Schale und ohne Zukost – wen konnte man da hinterm Ofen vorlocken? Da stellte sie Leinöl, dicke Milch, Quark, Speckfett, Salz, gehackte Kräuter dazu. Das war schon besser. Noch besser, auch dahinter kam Lotti, war es, die Knollen zu pellen. Schälerkartoffeln also. Heute

Im schönen Vogtland bei Schöneck.

ist diese Art Kartoffelgenuß wieder sehr gefragt. In vogtländischen Gasthöfen stehen Schälerkartoffeln auf den Speisekarten. Da sich auch die Eßkultur wandelt, liegen die Kartoffeln nicht mehr auf dem Tisch, sondern dampfen goldgelb, mehlig, einfach verführerisch in großen Schüsseln. Daneben stehen Schüsselchen mit Quark und verschiedenen Kräutersaucen.

Die Kartoffeln waren eine willkommene Abwechslung zu den sonst üblichen Grütz- und Hirsebreien oder Gerstenmehlklößen. Findige und phantasiereiche Hausfrauen entdeckten bald, daß die Kartoffel ein dankbares Probierobjekt war – sogar für süße Speisen. Sie wurde gegessen:

Morgens in aller Früh,
mittags kommen sie mitsamt
der Brüh,
zur Nacht Kartoffeln mit
samtenem Kleid,
Kartoffeln in aller Ewigkeit.

Einige der originellen Gerichte lernte ich kennen, als ich vor etlichen Jahren in Bad Elster zur Kur war. Bad Elster im oberen Vogtland, umgeben von reizvollen Tälern und sanftwelligen Hügeln mit Fichten- und Kiefernwald wurde einst (augenzwinkernd) die elegant aufgetakelte Dame genannt. Heute wirkt sie eher abgetakelt und pflegebedürftig. Aber sie besinnt sich und ist dabei, sich herauszuputzen.

In Markneukirchen ist Musik Trumpf, und nicht nur hier: Im ganzen Oberen Vogtland, das man auch „Musikwinkel“ nennt, werden Instrumente hergestellt.

Schon vor hundert Jahren wandelten auf dem Badeplatz „inmitten von Salondamen Rosenknospen tragende Herren“ zur Moritzquelle.

Während die Badefrau, Irma Jäckl, mich mit heißem Moor bepflasterte, erzählte sie mir, was es bei ihr zum Abendbrot gibt. Bambes. Wie bitte? Eine Art Kartoffelpuffer, ähnlich den erzgebirgischen Glitschern. Sie macht sie herzhaft. An die Kartoffelmasse gibt sie feingeschnittene Zwiebeln und Knoblauch, und dann brät sie sie in ausgelassenen Speckwürfeln. Manche nennen sie „gebackene Kläß“. Dazu gibt es Gulasch,Sauerbraten oder Geflügel. Einmal hat mich Irma eingeladen. Da sollte ich unbedingt ihre Schwammespalken probieren. Es roch wunderbar nach Pilzen, als ich in ihr kleines Häuschen trat. Im Flur baumelten, aufgefädelt von Wand zu Wand, kleingeschnittene Pilze. Vorsorge für den Winter. Das hält man hier seit Jahrhunderten so. Die Früchte des Waldes: Heidelbeeren, Preiselbeeren, Pilze wachsen ja fast vor der Haustür. Die Winter sind lang. In ihrer winzigen Wohnstube kann ich mühelos mit einer Hand die Decke erreichen. Zum Fensterputzen braucht sie wenig Zeit – die Fenster sind klein. Auf dem Tisch, der das halbe Zimmer einnimmt (die andere Häfte gehört dem Kanapee, es darf in keiner Wohnstube fehlen) – dampft die Suppe. Rotkappen, Steinpilze, Maronen, Perlpilze, Pfifferlinge – was Irma so finden konnte mit ihrem von Kindheit an geübten Blick – hatte sie fein geschnitten und mit Schinkenwürfeln, Zwiebeln, Karotten, Sellerie, ein wenig Thymian, Kümmel, Pfeffer und Salz gekocht. Natürlich gehören auch Spalken, so nennt man die Kartoffelstückchen, hinein. Und süß-sauer muß die Suppe sein. Ein feines Aroma liefern die zuletzt zugegebenen Kräuter: Schnittlauch, Kerbel, Petersilie – aus dem eigenen Garten. In dieser Suppe steckt Poesie.

Das Rezept hat sie von ihrer Adorfer Cousine, die nach Raun geheiratet hat. Man heiratet selten weit weg – höchstens ins nächste oder übernächste Dorf. Ob ich mir Raun schon angesehen habe. Aber ja, denn wer dieses Freilandmuseum im oberen Vogtland zwischen Bad Elster und Bad Brambach nicht gesehen hat, war nicht im einstigen Land der Vögte. Seit über sechs Jahrhunderten bevölkern rund dreihun-

dert Rauner das Dörfchen am idyllischen Rauner Bach. Der vogtländische Heimatdichter Julius Mosen, er lebte von 1803 bis 1867, hat die Schönheit des Gebirgsbaches besungen: „Wo in's Silber frischer Wellen/ schaut die Sonne hoch herein,/ spielen heimlich die Forellen/ in der Erlen grünem Schein." Raun hatte viele Namen: Ruewen, Run, Rawn, Rawen – was soviel wie „geräumte, freie Fläche" heißen soll. Hier kann man Dutzende guterhaltene Bauernhäuser mit Umgebinden und Fachwerken bewundern. Vogtländische Bauernhäuser hatten den Stall – aus Feldsteinen – im Wohnhaus. Der wichtigste Teil im Haus war die Küche mit der Feuerstelle und dem Backofen. Die Küche war fensterlos. Der Rauch hinterließ sein Wahrzeichen. Deshalb nannte man die Küche auch „Rauchküche", „Rußküche" oder „Schwarze Küche". Ein Bauernhaus, das zu den schönsten Fachwerkgiebelhäusern zählt, steht nur wenige Kilometer entfernt – in Landwüst. Hier hat jeder Zutritt, denn es dient als Museum. Man bestaunt die Rußküche, Stallungen, Wohnraum, Hausrat, Webstuhl, Kinderwiege und -spielzeug, Bauerngerät, sogar ein Pflug ist da. Vogtländische Lebensweise ganz hautnah. Wer sich verabschiedet, ist beeindruckt. Da bekommt der Besucher noch einen Tip auf den Weg: Das Paulusschlössel in Mark-

Im Paulusschlössel von Markneukirchen ist das Musikinstrumentenmuseum untergebracht, das neben vielen anderen auch ein Chlavichord des berühmten sächsischen Orgelbauers Gottfried Silbermann sein eigen nennt.

Der Geigenbau hat im Vogtland eine lange Tradition. Ursprünglich kamen die Instrumentenbauer im 17. Jahrhundert aus Böhmen und ließen sich hier nieder. Bald weiteten sie ihre Fertigkeiten auf Blech- und Holzblasinstrumente aus, die in allen Orchestern der Welt gespielt wurden.

neukirchen solle man nicht versäumen. In diesem Barockschloß aus dem 18. Jahrhundert kann man rund 1500 Musikinstrumente aus aller Welt betrachten, darunter auch ein Clavichord des berühmten sächsischen Orgelbauers Gottfried Silbermann. Ja überhaupt – Musikinstrumentenstadt Markneukirchen: Streich-, Zupf- und Blasinstrumente, Violinbögen, Saiten, Schlaginstrumente sind für unzählige Musiker eine unentbehrliche Selbstverständlichkeit. Die Tradition des Instrumentenbaus geht bis ins 17. Jahrhundert zurück. Kein Wunder: Der Vogtländer hat geschickte Finger, Ausdauer und – die Musik liegt ihm sowieso im Blut. Singen und Tanzen sind seine Hauptvergnügen. Er habe den Dreher erfunden, sagt man, und sein Schneid und seine tänzerische Leichtigkeit seien unübertrefflich. Was zu beweisen wäre, denke ich ... und beiße mit Vergnügen in ein Wachsstöckle, das Irma mir inzwischen vorgesetzt hat. Der Streuzucker krümelt in meinen Blusenausschnitt ... Während ich mich satt und zufrieden zurücklehne, deutet sie auf meinen Spitzenkragen: „aus Plaue?“ Ich lächle. Ohne eine Besonderheit dieses Ländchens wollte ich nicht abreisen. Plauener Spitze, verarbeitet zu Brautkleidern, Zierdecken oder -kragen, oftmals Schmuckelement an Blusen, Sommerkleidern, Taschentüchern, ist ebenso

Glühwein

bekannt und begehrt wie Meißner Porzellan. Da ich nicht ständig an mir herabsehen will, um die Spitzenarbeit rund um den Hals bewundern zu können, kaufte ich mir auch noch ein paar Taschentücher mit breiter Spitzenkante. Die halte ich wechselweise, vielleicht öfter als nötig, vor die Nase. Irma zeigt auf ihre duftigen Gardinen: „auch aus Plaue“. Die zarten Gewebe und Feintextilien, die in diesem Städtchen hergestellt werden, machen seit langem Furore. Es möge so bleiben, hoffen die Vogtländer ... Der rote Teppich in der Zimmermitte mit reichlich bunter Ornamentik stammt aus dem vogtländischen Städtchen Oelsnitz, das auch Teppichweberstadt genannt wird.
Später stoßen wir mit den Biergläsern an. „Schöss Bierla, guts Bierla“, sagt sie vergnügt und zeigt auf das Flaschenetikett: Wernesgrüner Pils. Vogtlandbier. Seit über 500 Jahren wird dieses Spitzenbier gebraut. Das Geheimnis des guten Getränks sei das Wasser, sagen die einen, nein, Hopfen und Hefe machen's, meinen die anderen. Die Bierbrauer hüllen sich in Schweigen. Das Geheimnis preisgeben? Ja, woher denn! Hauptsache, es wird getrunken. Und das wird es. Prost!
Jede Landschaft hat ihre Lieblingsgerichte. Im Vogtland – wie in Sachsen überhaupt – liebt man die Kartoffel. Als Beilage, als Hauptgericht, als Backwerk. Hätte man ihr sonst so viel Schmackhaftes und Originelles abgerungen? Freilich hatte die Beschränkung auf wenig Vorhandenes oft eine Aktie daran. Was wären Wildgerichte, Pilzgulasch, die Weihnachtsgans ohne Griegeniffte, ohne Handwerksbürschle? Wie viele Kartoffeln in den vergangenen Jahrhunderten geschält, gepellt, in Stücke, Würfel, Streifen, Scheiben geschnitten, wie viele gekocht, gequetscht, gebraten, geröstet worden sind – man wird's nicht errechnen. Wozu auch. Es wird so weitergehen ...

Plauen ist „Spitze“: Das feine Gewebe für Hochzeitskleider, Gardinen oder Spitzendeckchen hat im 19. Jahrhundert deutsche Kleiderschränke und Wohnstuben erobert. Eine ständige Ausstellung über die Plauener Spitzen- und Stickereiindustrie kann im Alten Rathaus am Marktplatz bewundert werden.
Die Streifzüge durch Sachsen sind nun beendet, jetzt kann gekocht und geschlemmt werden. Guten Appetit!

SUPPEN UND EINTÖPFE

Zerfahrne Suppn

Raffiniert, also durchaus hoffähig, ist diese Dresdner Spezialität „mit allerhand drin". Das gewollte Durcheinander bekommt der Suppe gut – besonders die Krebsbutter!

Dresden mit der Elbe, der Augustusbrücke und der Hofkirche.

200 g Spargel
2 EL grüne Erbsen
50 g Butter
5 Eier
1 Messerspitze Muskat
1 EL gehackte Petersilie
2 EL Semmelbrösel
Salz
weißer Pfeffer
1 Liter klare Geflügelbrühe
200 g gares Geflügelfleisch
50 g Krebsbutter
4 gebutterte Toastbrotscheiben

Spargel schälen und in Stücke schneiden. Spargel und Erbsen getrennt in Salzwasser mit etwas Butter 10 Minuten dünsten. Die Eier mit Muskat, gehackter Petersilie, Semmelbröseln, Salz und Pfeffer verrühren. Nach und nach unter ständigem Rühren die Brühe zugeben, erhitzen. Dabei alles gut verquirlen. 5 Minuten köcheln lassen. Das Fleisch in Würfel schneiden. Gemüse mit dem Gemüsesud und das Fleisch zur Suppe geben. Kurz aufkochen lassen. Zerlassene Krebsbutter darübergießen. Auf je einen vorgewärmten Teller eine gebutterte Toastbrotscheibe legen und die Suppe auffüllen.

Bornaer Zwiebelsuppe
Schwammespalken

BORNAER ZWIEBEL-SUPPE
400 g Zwiebeln
1 EL Kümmel
Salz
weißer Pfeffer
1 Liter Fleischbrühe
100 g Butter
2 EL Mehl
3 Eigelb
4 EL süße Sahne
200 g Graubrot
Schnittlauch

SCHWAMMESPALKEN
1 kg frische Mischpilze (Rotkappen, Maronen, Steinpilze, Perlpilze)
1 Zwiebel
150 g Schinkenspeck
2 EL Öl
Salz, Pfeffer
½ TL Thymian
2 TL Kümmel
1 EL Mehl
1 Liter Fleischbrühe
500 g Kartoffeln
Essig und Zucker nach Belieben
2 EL gehackte Petersilie

BORNAER ZWIEBELSUPPE (oben)
Die Zwiebeln schälen, in dicke Scheiben schneiden und zusammen mit Kümmel, Salz und Pfeffer in der Brühe zum Kochen bringen, aufwallen lassen, dann 10 Minuten bei geringer Hitze weich kochen. Durch ein Sieb streichen oder im Mixer pürieren. Die Hälfte der Butter erhitzen und das Mehl darin unter ständigem Rühren hellbraun rösten. Die Zwiebelsuppe unter ständigem Rühren zugießen und aufkochen lassen. Vom Herd nehmen. Die Eigelbe mit der Sahne verquirlen und in die Suppe rühren. Danach darf die Suppe nicht mehr kochen. Graubrot in Würfel schneiden und in der restlichen Butter ringsum knusprig braten, zusammen mit feingeschnittenem Schnittlauch in die Suppe geben. Sofort servieren.

An Zwiebeln und Kräutern wurde in Sachsen nie gespart. Zwiebeln hatten den Ruf eines medizinischen und liebesfördernden Zaubermittels. Zudem waren sie eine stets willkommene Würze. Liebeshungrige Bornaerinnen wollen diese köstliche, cremige Suppe erfunden haben – ihre Wirkung soll beachtlich sein ...

SCHWAMMESPALKEN (unten)
Pilze waschen und kleinschneiden. Zwiebel schälen und fein hacken. Schinkenspeck kleinschneiden. Pilze und Zwiebel im Öl und in den Schinkenspeckwürfeln dünsten. Salz, Pfeffer, Thymian und Kümmel zugeben. Das Mehl darüberstäuben. Heiße Fleischbrühe zugießen. Bei schwacher Hitze 30 Minuten garen. Inzwischen Kartoffeln schälen, in kleine Stücke (Spalken) schneiden und in die Suppe geben. Weitere 25 Minuten bei milder Hitze garen. Nach Belieben mit Essig und Zucker süßsauer abschmecken. Petersilie darüberstreuen. Heiß servieren.

Eintöpfe mit Spalken – so nennt man kleingeschnittene Kartoffeln – sind im Vogtland vom Mittagstisch nicht wegzudenken. Ist Pilzzeit, dann kommen Schwammespalken auf die Teller; im Frühjahr, wenn die ersten jungen Möhren geschnipselt werden, sind Feuerwehrspalken (Möhreneintopf) gefragt; vom ersten Spinat gibt es Spinatspalken. Manche würzen süßsauer, andere mögen reichlich Kümmel oder Majoran. Frische Kräuter aus dem Garten oder Blumentopf dürfen niemals fehlen.

Sorbische Hochzeitssuppe

Für die Suppe:
1 Möhre
100 g Sellerieknolle
1 Zwiebel
50 g Schweineschmalz
1 Blumenkohl (300 g)
1 Liter Fleischbrühe
Salz
50 g kleine Suppennudeln

Für die Leberklößchen:
200 g Leber, 1 Ei
1 Messerspitze Muskat
Salz, Pfeffer
2 EL Semmelbrösel

Für den Eierstand:
2 Eier
2 EL süße Sahne
1 EL Butter, Salz

Für die Suppe: Möhre und Sellerie putzen und kleinschneiden. Zwiebel schälen und kleinschneiden. Mit dem Schmalz und wenig Wasser 10 Minuten kochen. Bereitstellen. Inzwischen den Blumenkohl putzen, in Röschen zerlegen und gesondert in ungesalzenem Wasser 10 Minuten kochen, abgießen, mit kaltem Wasser abschrecken.
Für die Klößchen: Die Leber durch den Fleischwolf drehen und mit Ei, Gewürzen und Semmelbröseln vermengen. Eine Stunde kalt stellen. Dann mit den Händen Klößchen formen und bereitstellen.
Für den Eierstand: Die Eier mit Sahne und zerlassener, wieder abgekühlter Butter verquirlen, durch ein Sieb geben, salzen. In eine Tasse füllen, im Wasserbad stocken lassen. Abkühlen lassen. Fleischbrühe zum Kochen bringen. Suppennudeln und Leberklößchen hineingeben. 15 Minuten bei geringer Hitze garen. Sellerie-Möhren-Mischung mit dem Kochwasser sowie die Blumenkohlröschen dazugeben, miterhitzen. Zuletzt den mit einem Teelöffel abgestochenen Eierstand zufügen und Suppe heiß servieren.

Zu einer sorbischen Hochzeit sollte man mit leerem Magen kommen, damit die vielen Delikatessen Platz finden. Ist auch sonst die Küche spärlich, zur Hochzeit geht es hoch her. Aber wie all die Köstlichkeiten zubereitet werden, geben die Köchinnen ungern preis. Abgucken, selbst rausfinden, ist ihre Devise. Fragt man gar nach Mengenangaben, bekommt man nur ein mitleidiges Lächeln zur Antwort. Das macht jeder nach Gefühl und nach vorhandenen Zutaten – eben wie bei Muttern, und die hat es von Großmutter und die hat es von ... Aber das Rezept für die Hochzeitssuppe hat dann doch jemand verraten.

Sächsischer Kuttelfleck
Zittauer Abernsuppe

SÄCHSISCHER KUTTELFLECK
1 kg Kuttelfleck (Pansen, Euter)
Salz, Suppengrün
100 g durchwachsener Speck
1 Lorbeerblatt
1 Zwiebel
1 Knoblauchzehe
1 EL gehackte Petersilie
1 TL Majoran
50 g Butter, 3 EL Mehl
Essig, Zucker nach Belieben
Pfeffer
2 Gewürzgurken

ZITTAUER ABERNSUPPE
500 g Kartoffeln
2 Karotten
1 Stange Porree
1 kleine Zwiebel
1 TL Kümmel, Salz
weißer Pfeffer
1 Liter klare Fleischbrühe
150 g durchwachsener Speck
20 g Butter
Petersilie
Selleriegrün

SÄCHSISCHER KUTTELFLECK (oben)
Kuttelfleck (Pansen, Euter) vom Fleischer zusammenstellen lassen. Das sehr gründlich zuerst heiß, dann kalt gewaschene Fleisch in 2 Liter Wasser mit Salz, geputztem, grob zerkleinertem Suppengrün, Speck, Lorbeerblatt, geputzter Zwiebel und Knoblauchzehe, Petersilie und Majoran 3 bis 4 Stunden kochen. Das Fleisch, es soll noch bißfest sein, herausnehmen und in gleichmäßige Stücke schneiden. Die Brühe durch ein Sieb gießen. In der heißen Butter unter Rühren das Mehl bräunen, 3/4 Liter von der Brühe aufgießen, durchkochen. Kuttelfleck zufügen. Das Gericht nach Belieben mit Essig, Zucker und Pfeffer abschmecken. Die Gurken in kleine Würfel schneiden und zugeben.

Lene Voigt läßt in ihrer sächsischen Version von Hänsel und Gretel die Hexe „saure Bieben" (Kuttelfleck) kochen: „De Alde lächelte sauersieße un saachte dann: ‚Ihr mißt nu awer ooch äwas Warmes in de Därme neingriechen, Ginderchen. Gommt mit nein bei mich, ich habbe grade saure Bieben gegocht.'"

ZITTAUER ABERNSUPPE (unten)
Die geschälten Kartoffeln halbieren, das geputzte Gemüse grob zerkleinern. Kümmel, Salz und Pfeffer zufügen und mit Brühe auffüllen. Zugedeckt erhitzen, aufkochen lassen, dann bei geringer Hitze etwa 20 Minuten garen. Inzwischen den Speck in kleine Würfel schneiden und in der Butter auslassen. Die Suppe pürieren. Speckwürfel und gehackte Kräuter in die Suppe geben und heiß servieren.

Die Zittauer nennen ihre Kartoffeln „Abern" – abgeleitet von Ardäpfeln. Sie mögen die Kartoffelsuppe püriert im Gegensatz zu den Vogtländern. Dort müssen „Spalken" (Stückchen) in der Suppe zu sehen sein. Aber Kräuter und Speck dürfen auch dort nicht fehlen.

Oberlausitzer Bohnensuppe mit Klösschen

Mach es wie die Sonnenuhr in der Oberlausitz, zähl die heiteren Stunden nur!

750 g farbige Bohnenkerne
300 g Schweinebauch
1 1/2 Liter Fleischbrühe
250 g entsteinte Backpflaumen
Essig und Zucker nach Belieben
750 g Kartoffeln
Salz

Für die Klößchen:
200 g Mehl
1/8 Liter Milch
1 Ei
Salz

Die Bohnenkerne am Vortag in 1 1/2 Liter Wasser einweichen. Das Einweichwasser abgießen. Bohnen mit in Scheiben geschnittenem Schweinebauch in der Fleischbrühe zum Kochen bringen, Backpflaumen zufügen. Etwa 20 Minuten kochen lassen, süßsauer mit Essig und Zucker abschmecken. Kartoffeln schälen, in kleine Stücke teilen und in einem anderen Topf in Salzwasser kochen.
Für die Klößchen: Das Mehl mit der Milch, dem Ei und Salz zu einem festen Teig verkneten. Eine Rolle formen, davon Scheibchen abschneiden oder zu Klößchen von 1 cm Durchmesser rollen. In die Suppe geben und noch 10 Minuten mitkochen. Suppe abschmecken. Kartoffeln abgießen und auf vorgewärmten Tellern verteilen. Die Bohnensuppe mit den Klößchen darauf anrichten.

Das Rezept ist zwar einfach und sparsam, aber die Zubereitungsart ist originell: Die Backpflaumen liefern das beliebte süß-saure und würzige Aroma – und dem Auge wird auch etwas geboten – in Form von Klößchen oder Scheibchen, die lustig in der bunten Suppe aussehen.

Kirschsuppe
Meissner Weinsuppe

KIRSCHSUPPE
1 kg Sauerkirschen
1/4 Liter Weißwein
1 Zimtstange
150–250 g Zucker
2 EL Stärkemehl
3 Eiweiß

MEISSNER WEINSUPPE
100 g Zucker
Salz
1 Stück frischer Ingwer
1 Stück Zimtrinde
100 g Butter
2 EL Mehl
1 Flasche Meißner Müller-Thurgau
4 Eier
Biskuits

KIRSCHSUPPE
Die gewaschenen, entsteinten Kirschen mit 3/4 Liter Wasser, Wein, Zimtstange und Zucker aufkochen. Die Zuckermenge nach Belieben und Säure der Kirschen bemessen. Das Stärkemehl mit etwas kaltem Wasser glattrühren. Die Suppe damit binden. Kalt stellen.
Für die Bällchen das Eiweiß steif schlagen, dabei den restlichen Zucker untermischen. Wasser zum Kochen bringen. Von der Eischneemasse mit einem Teelöffel Klößchen abstechen. Im heißen, nicht ganz kochenden Wasser 3 Minuten schwimmen lassen. Vor dem Servieren die Schneebällchen auf die Suppe setzen. Dazu werden Zwiebäcke oder Biskuits gereicht.

Zum Kochen sollte man Sauerkirschen verwenden. Da Süßkirschen nur wenig Säure besitzen, schmecken sie gekocht etwas fade. Sauerkirschen lassen sich vielseitig verwenden: als Suppe, wie hier als Kaltschale, oder auch als Saft, als Tortenbelag, als Kompott – und sie vertragen sich gut mit Alkohol. Deshalb, wer's mag: Ein Schuß Alkohol bekommt jedem Kirschgericht.

MEISSNER WEINSUPPE
1/4 Liter Wasser mit Zucker und Gewürzen aufkochen und 20 Minuten köcheln lassen. Währenddessen in einem Topf die Butter erhitzen und das Mehl unter Rühren hellgelb anschwitzen. Allmählich unter Rühren die durchgesiebte Brühe zum Mehl geben. Wein zugießen und erhitzen. Die Eier trennen. Eigelb mit etwas Suppe verquirlen. Einrühren und erhitzen, bis das Eigelb bindet. Nun sollte die Suppe nicht mehr kochen.
Die Eiweiße steif schlagen und mit dem Teelöffel als Flocken auf die Suppe setzen. 3 Minuten ziehen lassen. Dazu Biskuits reichen.

Ein Bischof soll sie als heilende Suppe unter die Leute gebracht haben, behaupten die Elbtal-Winzer. Sie essen sie gern, besonders im Herbst. Denn die Suppe ist Balsam nach schwerer Erntearbeit, wenn auf unwegsamen Steilhängen auf ihren Rücken die schweren Butten lasten. Mit ihnen müssen sie oft weite Wegstrecken zurücklegen.

Sächsische Fliederbeerensuppe

500 g Fliederbeeren (Holunderbeeren)
1 saftige Birne
1 Prise Zimt
1 Nelke
100–150 g Zucker
1 kräftige Prise Salz
1/8 Liter Rotwein
2 EL Stärkemehl
1/8 Liter süße Sahne

Tip:
Holunderbeeren müssen vollreif sein, will man sie zu Saft oder Suppe verarbeiten. Roh sind sie ungenießbar.

Die Holunderbeeren waschen und abtropfen lassen. Die Birne schälen, in Viertel schneiden, das Kernhaus entfernen. Holunderbeeren, Birnenviertel, Zimt, Nelke, Zucker und Salz in 1 Liter Wasser erhitzen und kurz aufwallen lassen, danach 10 Minuten auf kleiner Flamme köcheln lassen. Durch ein Sieb streichen. Rotwein zugießen. Nochmals erhitzen, mit kalt angerührtem Stärkemehl binden und aufkochen lassen. Die Suppe auf vorgewärmten Tellern verteilen, je 2 Eßlöffel flüssige Sahne in die Tellermitte geben. Einmal kurz umrühren, so daß es den Anschein hat, als wolle die Sahne Kreise ziehen, und sofort heiß servieren.

Aus Holunder zauberten unsere phantasiereichen Vorfahren romantisch-köstliche Gerichte: Holunderblütenkrapfen, Holundersekt, verzuckerte Holunderblüten oder diese schmackhafte Suppe. Und wir essen sie auch heute noch gerne. In der Oberlausitz, wo man Süß-Saurem den Vorrang gibt, kommen zu den vollreifen Beeren noch zehn entsteinte Pflaumen dazu. In Butter geröstete Zwiebackstücke liegen dort bereits auf dem Teller, ehe die Suppe darauf kommt.

Leinöl

Fisch, Fleisch, Wild und Geflügel

Seezunge auf Regentschaftsart

Die zwiebelförmige Kuppel auf dem Kronentor des Dresdner Zwingers wirkt wie ein Symbol von Glanz und Macht.

4 Seezungenfilets (800–1000 g)
Salz
frisch gemahlener weißer Pfeffer
1 EL Mehl
80 g Butterschmalz
¼ Liter Seußlitzer Weißburgunder
4 EL grobgehackte Walnußkerne
60 g Butter
2 Bananen
2 EL Crème fraîche
2 EL Zitronensaft

Die Seezungenfilets unter kaltem Wasser abspülen, trockentupfen, mit Salz und Pfeffer würzen und mit Mehl überstäuben. Das Butterschmalz erhitzen, Weißwein angießen, mit Salz und Pfeffer abschmecken und zum Kochen bringen. Die Seezungenfilets hineinlegen und 8 bis 10 Minuten dünsten. Inzwischen die grobgehackten Walnußkerne in der Hälfte der Butter hellbraun rösten. Die Bananen schälen, in Scheiben schneiden und kurz in der restlichen zerlassenen Butter schwenken.
Die garen Seezungenfilets herausnehmen und warm stellen. Den Sud auf die Hälfte einkochen. Crème fraîche zufügen und kurz aufkochen lassen. Die Seezungenfilets auf vorgewärmten Tellern anrichten und mit Zitronensaft beträufeln. Die Walnußkerne und die Bananenscheiben darauf verteilen. Etwas Sauce angießen. Nach Belieben gedünstete, eingeriefte Champignonköpfe, Trüffelscheiben, gare Krebsschwänze und Fleurons (aus Blätterteig) anlegen.
Dazu schmeckt ein trockener Elbtaler Traminer oder Ruländer.

Die sächsische Hofküche des 18. und 19. Jahrhunderts war eine Mischung aus Volksküche und verfeinerter Kochkunst. Üppige Gaumenkitzel durften nicht fehlen. Man war ja weltmännisch und weltoffen. Deshalb ließ man sich gern vom kulinarischen Flair der französischen Küche, aber auch von der fernöstlichen Küche inspirieren. Schon vor 250 Jahren ermöglichte die eingeführte „sächsische Küchenpost“, daß direkt vom Hamburger Markt Austern, Langusten, Hummer und vieles mehr nach Leipzig geliefert werden konnten. Fische mußten generell lebend gebracht werden.

Forellenfilets Schloss Schönfeld

TROUT

2 ausgenommene Lachsforellen (je etwa 500 g)
Saft von 1 Zitrone
Salz
frisch gemahlener weißer Pfeffer
2 Schalotten
½ Stange Lauch
1 Karotte
80 g Butterschmalz
¼ Liter trockener Elbtal-Riesling
12 Krebse
1 Zwiebel (in Scheiben geschnitten)
1 Lorbeerblatt
1 TL Kümmel
1 Bund Petersilie
1–2 schwarze Trüffeln
2 EL Butter

Die Lachsforellen filieren und die Gräten entfernen. Die Filets mit Zitronensaft beträufeln und mit Salz und Pfeffer einreiben. Das Gemüse putzen. Schalotten und Lauch in feine Ringe, die Karotte in dünne Scheiben schneiden.
Das Butterschmalz in einer Pfanne erhitzen, das Gemüse zugeben und kurz andünsten. Die Filets darauflegen. Riesling angießen und die Fische etwa 15 Minuten zugedeckt garen.
Inzwischen die Krebse mit dem Kopf zuerst in sprudelnd kochendes Salzwasser mit Zwiebelscheiben, Lorbeerblatt, Kümmel und Petersilie geben und etwa 5 Minuten ziehen lassen. Krebse herausnehmen, etwas abkühlen lassen, dann aus der Schale brechen. Dabei darauf achten, daß die Krebsschwänze mit dem Körper verbunden bleiben.
Die garen Filets auf eine vorgewärmte Platte legen und warm stellen. Den Fischsud durch ein Sieb gießen und etwa auf die Hälfte einkochen. Feingehobelte Trüffeln zugeben und noch etwas einkochen lassen. Gut gekühlte Butter sehr rasch unter die Sauce schlagen. Mit Salz und Pfeffer abschmecken. Auf vorgewärmte Teller jeweils 3 Krebse an den Tellerrand legen. Das Forellenfilet in der Mitte anrichten. Etwas Sauce über das Filet ziehen.
Dazu schmecken Salzkartoffeln mit etwas Sardellenbutter oder Petersilienkartoffeln. Wer Wein dazu trinken möchte, dem empfehle ich einen Elbtaler Müller-Thurgau vom Weinböhlaer Gellertberg oder einen Weißburgunder aus Radebeul-Lößnitz.

Die Forelle, allein schon ein königliches Mahl, kam bei Hofe niemals solo auf den Teller. Sie wurde verziert und garniert: mit Champignons und Trüffeln, mit Krebsen, Krebsschwänzen und Garnelen, mit Kräutersträußchen und kandierten Blüten. Sie sollte nicht nur den Gaumen, sondern auch das Auge erfreuen. Die Ehre eines Hauptgerichts wurde ihr an königlicher Tafel nie zuteil. Sie stand höchstens an dritter Stelle eines Menüs von mehr als einem Dutzend Gängen.

Gefüllte Erdäpfel

Das traditionelle Umgebindehaus der Oberlausitz bietet Mensch und Haustieren Schutz.

Schon längst ist sie keine botanische Kuriosität mehr, die einst so verkannte Knolle, sondern eine Delikatesse, vorausgesetzt man bemüht sich mit Sorgfalt und Liebe um sie. Ob süß, ob herzhaft, gekocht, gebraten, gebacken – weiß man mit ihr umzugehen, entfaltet sie ihre Reize.
Sie liefert das wichtige Kartoffeleiweiß, Calcium und Phosphor, Eisen und reichlich Vitamine.
Daß sie dick macht, glaubt inzwischen keiner mehr.

8 große, mehlig festkochende Kartoffeln
Salz
4 Salzheringe
2 Zwiebeln
weißer Pfeffer
1 TL Zucker
etwas Essig
50 g Butter
150 g Crème fraîche
Schnittlauch

Die Kartoffeln schälen und im Ganzen in Salzwasser etwa 15 Minuten kochen. Herausnehmen und mit einem Löffel aushöhlen. Die gewässerten und geputzten Heringe sehr fein schneiden, die geschälten Zwiebeln ebenfalls. Beides vermischen und mit Pfeffer, Zucker und Essig würzen. 1 Stunde ziehen lassen. Die Kartoffeln in eine feuerfeste Form setzen, Butterflocken obenauf geben. Im vorgeheizten Backofen bei 180 °C 10 Minuten bräunen lassen. Herausnehmen, mit Heringsmasse füllen und mit Crème fraîche und Schnittlauchröllchen garnieren. Sofort servieren.

MEISSNER WURZELKARPFEN

Die Meißner sind nicht nur stolz auf ihr Porzellan und ihre Fummeln, das geheimnisumwitterte Gebäck, sondern auch auf ihre Weine. Daß sie selbst ausgesprochene Weinkenner sind, versteht sich. Auch ihren „vollmundigen" Speisen ist das anzumerken.

CARP

1 Karpfen von 1,5 kg
2 Karotten
100 g Sellerie
1 Stange Porree
2 EL Öl
Salz
Pfeffer
1 Lorbeerblatt
80 g Butter
1/2 Liter Elbtal-Müller-Thurgau
3 EL gehackte Petersilie

Den küchenfertigen Karpfen in Portionsstücke teilen. Gemüse putzen, waschen und kleinschneiden. Das Öl erhitzen, Gemüse hineingeben, die Karpfenstücke obenauf legen. Salzen, pfeffern und das Lorbeerblatt zufügen. Butterflöckchen aufsetzen, Weißwein angießen. Zugedeckt etwa 20 Minuten dünsten. Die Karpfenstücke und das gare Gemüse herausnehmen und warm stellen. Die Sauce bei großer Hitze auf etwa 1/4 Liter reduzieren. Die Karpfenstücke und das Gemüse auf vorgewärmte Teller legen und mit der Sauce übergießen. Darüber Petersilie streuen. Mit Petersilienkartoffeln auftragen. Dazu schmeckt ein trockener Müller-Thurgau.

Gefüllter Rinderbraten auf Glitschern

GEFÜLLTER RINDERBRATEN
1 kg festes Rindfleisch (Keule)
150 g Räucherspeck
4 Eier, davon 3 hartgekocht
2 Essiggurken
Salz
Pfeffer
1 Bund Schnittlauch
1 EL Senf
4 EL Öl
2 TL frisches Basilikum
6 EL saure Sahne
5 Pfefferkörner
5 Wacholderbeeren
⅛ Liter trockener Rotwein
Petersilie

GLITSCHER
800 g rohe Kartoffeln
400 g gekochte Kartoffeln
Salz
¼ Liter Buttermilch
Leinöl oder Sonnenblumenöl

Tip:
Diese Kartoffelpuffer werden „versüßt“ mit Kompott oder als Beilage zum Braten gegessen. Am besten schmecken sie heiß – gleich von der Pfanne auf den Teller!

GEFÜLLTER RINDERBRATEN
Von dem Fleischstück jegliches Fett entfernen, dann längs mit einem Messer einschneiden und so viel Fleisch herausschneiden, daß ein faustgroßer Hohlraum entsteht. Von dem Speck zwei dünne Scheiben abschneiden. Den übrigen Speck zusammen mit dem herausgeschnittenen Fleisch, den hartgekochten Eiern und den Gurken durch den Fleischwolf drehen. Die Masse mit dem übrigen rohen Ei, Salz, Pfeffer und kleingeschnittenem Schnittlauch zu einer homogenen Masse verarbeiten. Die Aushöhlung des Fleisches mit Senf bestreichen, die Fleischfülle hineingeben. Die Öffnung mit den 2 Speckscheiben belegen und mit Rouladennadeln zusammenstecken. Das Fleisch in erhitztem Öl anbraten. Basilikum mit 3 Eßlöffel saurer Sahne vermengen und über das Fleisch geben. Nach und nach ¼ Liter heißes Wasser angießen. Pfefferkörner und Wacholderbeeren dazugeben. Etwa 90 Minuten bei milder Hitze zugedeckt schmoren lassen. Herausnehmen, auf ein Backblech geben. In den Bratensatz Rotwein einrühren, die restliche saure Sahne zufügen und damit den Bratensatz loskochen. Den Braten mit der Sauce übergießen und im vorgeheizten Backofen bei 180 °C noch etwa 10 Minuten bräunen lassen. Den Braten in Scheiben schneiden. Auf Glitschern, mit etwas Sauce und mit Petersiliensträußchen garniert, anrichten.

GLITSCHER
Die rohen Kartoffeln schälen und feinreiben. Die Kartoffelmasse mäßig ausdrücken. Die gepellten, gekochten Kartoffeln ebenfalls feinreiben und dazugeben. Salz und Buttermilch zufügen und einen dicklichen, noch etwas flüssigen Teig bereiten. In einer Pfanne Leinöl oder Sonnenblumenöl erhitzen, jeweils mehrere Löffel voll Teig hineingeben, breitdrücken und auf beiden Seiten goldgelb und knusprig braten. Häufig werden Glitscher auch in ausgelassenen Speckwürfeln gebacken.

Diese Pfannenklöße haben viele Namen: Im Erzgebirge nennt man sie liebevoll „Glitscher“, „Latschen“, „Frätzle“, „Buttermilchgetzen“. Im Vogtland heißen die goldgelb gebackenen Fladen „Bambes“ – abgeleitet von „Pampf“ – oder „gebackene Kläß“.

Wernesgrüner Rindfleischwürfel

WERNESGRÜNER RIND-
FLEISCHWÜRFEL
750 g Rindfleisch
1 Knoblauchzehe
1 Flasche Wernesgrüner
Pilsener
3 EL Öl
400 g Zwiebeln
Salz
Pfeffer
1 EL Tomatenmark
1 EL Thymian
1 EL Mehl
½ Liter klare Fleischbrühe
6 EL süße Sahne
125 g durchwachsener
Speck
Schnittlauch

GRIEGENIFFTE
4 Brötchen
100 g Butter oder
Margarine
Salz
2 kg rohe Kartoffeln
⅛ Liter Milch
500 g in der Schale
gekochte Kartoffeln

Übrigens:
Das Geheimnis des guten Wernesgrüner Bieres sei das Wasser, behaupten die einen, andere sagen, Hopfen und Hefe machen's. Die Bierbrauer stellen sich bei Fragen taub. Wer läßt sich schon gern in die Karten gucken. Hauptsache, ihr Bier kommt gut an.

WERNESGRÜNER RIND-
FLEISCHWÜRFEL
Das in Würfel geschnittene Fleisch und die geputzte, zerdrückte Knoblauchzehe mit dem Bier übergießen. Zugedeckt 24 Stunden stehen lassen. In erhitztem Öl die geschälten und in Scheiben geschnittenen Zwiebeln bräunen. Die eingelegten, abgetropften Fleischwürfel daraufgeben. Salzen und pfeffern. Alles gut verrühren. Zugedeckt bei geringer Hitze schmoren lassen, entstehenden Fleischsaft einkochen lassen. Tomatenmark und Thymian zugeben. Alles mit Mehl bestäuben, die Biermarinade zugießen und gut verrühren. Noch so viel Brühe auffüllen, daß die Fleischwürfel bedeckt sind. Zugedeckt etwa 90 Minuten garen. Mit Salz, Pfeffer und Sahne abschmecken. Den Speck in kleine Würfel schneiden, kroß ausbraten und über die Fleischwürfel geben. Mit Schnittlauchröllchen garniert zu Griegenifften reichen.

GRIEGENIFFTE
Die Brötchen in kleine Würfel schneiden und in der Butter ringsum goldgelb braten, etwas salzen. Die rohen Kartoffeln schälen, reiben, durch ein Tuch pressen und mit kochender Milch übergießen. Das aufgefangene Wasser beiseite stellen. Die gekochten Kartoffeln abpellen und durch die Kartoffelpresse geben. Beide Kartoffelmassen miteinander vermischen, salzen. Von dem beiseite gestellten Kartoffelwasser etwas Stärke untermengen. Die Kloßmasse darf nicht zu fest, sie muß geschmeidig sein. Aus dem Kartoffelteig Klöße formen, dabei in die Mitte geröstete Brötchenwürfel geben. Die Klöße in kochendes Salzwasser einlegen – sie sollen Platz haben und sich nicht berühren – kurz aufkochen, dann 20 Minuten ziehen lassen. Nach Belieben können zum Kartoffelteig 2 Eßlöffel Meerrettich gegeben werden. Die Klöße pyramidenförmig in einer Schüssel anrichten.

Griegeniffte sind Vogtlands grüne Klöße. „Niffen" heißt reiben. Aus Kartoffeln schuf die phantasiebegabte Hanna Strobel, eine Hausfrau aus Raun, vor vielen Jahrzehnten diese grünlichen Dinger.

PILSENER

Bautzener Topfsülze

1 Eisbein (etwa 1 kg)
2 Zwiebeln
3 Karotten (1 große, 2 kleine)
50 g Sellerieknolle
1 Lorbeerblatt
Piment
5 Gewürzkörner
Salz
3 EL Essig
Zucker nach Belieben
2 Gewürzgurken
einige süß-sauer eingelegte Perlzwiebeln und Champignons
8 Blatt Gelatine

Das gewaschene Eisbein mit dem geputzten, zerkleinerten Gemüse (Zwiebeln, 1 große Karotte, Sellerie), Lorbeerblatt, Piment und Gewürzkörnern in 1½ Liter kaltem Salzwasser ansetzen und 2 Stunden kochen lassen. Der Farbe wegen etwas Zwiebelschale mitkochen. 12 Minuten vor Ende der Kochzeit die kleinen Karotten mitgaren. Nicht sprudelnd kochen, die Brühe könnte sonst trüb werden. Die kleinen Karotten und das gare Fleisch herausnehmen, Schwarte, alles Fett und die Knochen entfernen, das rosarote Fleisch in Würfel schneiden. Die Brühe mit Essig und Zucker nach Belieben süß-sauer abschmecken. Durch ein Sieb gießen. Eine Keramikschale mit kaltem Wasser ausspülen. Gewürzgurken und kleine Karotten in Scheiben schneiden. Fleischwürfel, Gurken- und Karottenscheiben, Perlzwiebeln und Champignons in der Schale verteilen. Die Blattgelatine in 1 Tasse Brühe auflösen und unter die Brühe rühren. Die Zutaten in der Schale damit auffüllen und in etwa 2 Stunden erstarren lassen. Vor dem Servieren stürzen. Dazu kräftiges Landbrot oder Bratkartoffeln mit reichlich Majoran und saure Gürkchen reichen.

Wer sich in Bautzen, das auf sorbisch Budyšin heißt, an der Alten und Neuen Wasserkunst, den Stadtbefestigungen und schönen Barockhäusern erfreut hat, sollte sich noch ein kulinarisches Vergnügen gönnen: Bautzener Topfsülze. Im Ratskeller wird sie serviert und mit Begeisterung verspeist. „Goalerte" heißt sie in der Oberlausitz und wird meist mit Brot oder „Brutabern", das sind Bratkartoffeln, zu Tisch gebracht. Da der Kartoffel eine besondere Verehrung zuteil wird, nennt man sie an erster Stelle. Wer so richtig, eben auf „Äberlausitzsch" bestellen will, verlangt dann: „Brutabern und Goalerte".

Rinderlende mit Berg-Erbsen

800 g Rinderlende
2 EL Weinbrand
2 EL Senf
je 1 TL Petersilie, Gartenkresse, Schnittlauch, Estragon, Basilikum
2 Knoblauchzehen
frisch gemahlener weißer Pfeffer
6 dünne Scheiben Speck
50 g Butterschmalz
⅛ Liter Rinderbrühe
200 g Crème fraîche
Salz
800 g frische, grüne Erbsen
100 g Butter
1 TL Zucker
1 EL Mehl
16 kleine, dreieckig geschnittene, in Butter geröstete Weißbrotscheiben

Die Rinderlende von Fett und Sehnenteilen befreien und mit dem Weinbrand einreiben. Den Senf mit den gehackten Kräutern und den zerdrückten Knoblauchzehen vermischen. Das Fleisch mit Pfeffer und der Senf-Kräuter-Masse einreiben. Die Speckscheiben auflegen und mit Küchengarn festbinden. Die Lende 1 Stunde ruhen lassen, damit das Kräuteraroma einziehen kann. Danach das Butterschmalz erhitzen, das Fleisch hineinlegen und sofort in heißem Fett wenden. Im vorgeheizten Ofen etwa 25 bis 30 Minuten bei 220 °C braten. Dabei öfters wenden und mit dem Bratfett begießen. Das Fleisch herausnehmen und warm stellen. Den Bratensatz mit kochender Brühe loskochen und mit Crème fraîche aufkochen. Die Sauce, wenn nötig, salzen und pfeffern.

Die ausgepalten, gewaschenen Erbsen in Butter mit Salz, Pfeffer und Zucker in wenig Wasser etwa 10 Minuten kochen. Das Mehl darüberstäuben. Vorsichtig umrühren.

Das Fleisch in Scheiben schneiden, auf vorgewärmte Teller verteilen und mit etwas Sauce begießen. Rings um die Fleischscheiben die Erbsen bergförmig anrichten. Jeweils 4 knusprig geröstete Brotdreiecke anlegen. Dazu schmeckt ein Elbtaler mit Muskatbukett wie etwa ein Morio-Muskat, ein Bacchus oder eine Scheurebe.

Die sächsische Hofküche des vorigen Jahrhunderts dachte sich immer neue Gaumenfreuden aus. Waren Festlichkeiten angesagt (die Wettiner feierten gern und viel!), zu denen Hunderte von Gästen strömten, kündeten Menükarten von zwanzig Gängen und mehr.

Ehe diese Rinderlende aufgetragen wurde, hatte man schon eine würzige Kraftbrühe vom Hasen, knusprige Geflügelkroketten, Zander in Buttersauce verspeist. Der Rinderlende folgten ein Pastetenhaus, gefüllt mit feinstem Krebsragout. Weiter ging es mit Gänseleber in Aspik, gebratenem Truthahn, Zuckererbsen. Noch ehe man sich, voll bis zum Stehkragen, zurücklehnen konnte, wurden riesige Eisbomben mit Früchten und Sahnehäubchen aufgetragen. Und noch immer war kein Ende abzusehen, denn man speiste ja der Unterhaltung, nicht des Hungers wegen: Schon kitzelte wieder der Duft von köstlichen Käsen die Nasen ...

Kalbsnierenbraten in Elbtalwein

1 Kalbsniere von etwa 450 g
Salz
frisch gemahlener schwarzer Pfeffer
125 g Kalbfleisch
1 kleine Scheibe Weißbrot (25 g)
1 EL süße Sahne
1 TL Zwiebelwürfel
70 g Butterschmalz
800 g Kalbfleisch vom Sattelstück ohne Knochen
1 Karotte
2 Schalotten
1 kleine Petersilienwurzel
⅛ Liter Fleischbrühe
je 1 Messerspitze Majoran und Thymian
½ TL abgeriebene unbehandelte Zitronenschale
½ TL Kümmel
⅛ Liter Elbtal-Riesling
30 g kalte Butter
Schnittlauchröllchen

Aus der Niere die Fettstränge herausschneiden. Die Niere waschen, trockentupfen und mit Salz und Pfeffer einreiben. Die 125 g Kalbfleisch durch den Fleischwolf drehen, das Weißbrot in der Sahne aufweichen. Fleisch, ausgedrücktes Weißbrot und Zwiebelwürfel miteinander verkneten, mit Salz und Pfeffer abschmecken und die Niere damit füllen.
20 Gramm Butterschmalz erhitzen und die Niere darin ringsum kurz anbraten. Herausnehmen und abkühlen lassen. Inzwischen das Kalbfleisch mit Salz und Pfeffer einreiben, die Niere in die Mulde legen. Das Fleisch aufrollen, mit Rouladennadeln oder Küchengarn zusammenhalten, daß die Niere nicht herausgleiten kann. Fleisch im restlichen Butterschmalz von allen Seiten goldbraun anbraten und herausnehmen. Das geputzte, kleingeschnittene Gemüse im Bratfett weichdünsten. Fleischbrühe angießen, Majoran, Thymian, Zitronenschale und Kümmel zufügen und kurz aufkochen. Das Fleisch wieder in den Topf geben. Im vorgeheizten Ofen bei 180 °C etwa 90 Minuten weiterbraten lassen. Dabei mehrmals mit dem Bratensaft begießen. Bei Bedarf etwas Brühe angießen. Den fertigen Braten herausnehmen, warm stellen und einige Minuten ruhen lassen.
Inzwischen die Sauce passieren. Weißwein angießen und im offenen Topf etwas einkochen lassen. Die eisgekühlte Butter rasch unterschlagen. Den Braten in 2 cm dicke Scheiben schneiden und mit der Sauce überglänzen. Mit feingeschnittenen Schnittlauchröllchen garnieren.
Dazu schmecken Handwerksbürschle, Griegeniffte oder in Butter geschwenkte Kartoffeln. Ideal ergänzt wird dieses Gericht mit einem trockenen Goldriesling aus Meißen.

Umwickeltes und geheimnisvoll Verpacktes liebte man am Hofe ebenso wie in den Bürgerhäusern und in den Küchen einfacher Leute. Mit viel Phantasie gab man – je nach Geldbeutel mal mehr, mal weniger gehaltvoll – Füllungen in Gemüse, Teig oder Fleisch.
In der Gegend von Sachsen, wo Straßen zwei Namen haben, einen deutschen und einen sorbischen – in der Oberlausitz – ist Kalbsnierenbraten eines der Glanzlichter beim Hochzeitsschmaus.

BRAUN & KEMMLER

Lammkeule mit Maronenpüree

1 kg Lammkeule (vom Metzger auslösen lassen, Knochen mitnehmen)
8 Pfefferkörner
2 Petersilienwurzeln
1 Zwiebel
2 Knoblauchzehen
Salz

Für die Sauce:
40 g Butter
2 EL Mehl
½ Liter Lammfond
Salz
frisch gemahlener weißer Pfeffer
4 EL süße Sahne
1–2 schwarze Trüffeln

Für das Maronenpüree:
400 g Maronen
50 g Butter
einige Tropfen Elbtalwein
Messerspitze Muskat

Von der Lammkeule Fett und Haut entfernen. Die ausgelösten Knochen in reichlich Wasser mit Pfefferkörnern und dem geputzten Gemüse zum Kochen bringen. Die Keule salzen, aufrollen, zusammenbinden und in die siedende Brühe legen. Die Keule muß mit der Brühe bedeckt sein. Zugedeckt bei milder Hitze etwa 2 Stunden köcheln lassen.
Für die Sauce: Die Butter zerlassen, das Mehl darüberstäuben und gut verrühren. Den Lammfond zugießen und mit dem Schneebesen glattrühren. Die Flüssigkeit unter Rühren zum Kochen bringen, dann 20 Minuten köcheln lassen, bis noch etwa ¼ Liter vorhanden ist. Mit Salz und Pfeffer würzen. Danach passieren, die Sahne zufügen und die gehobelten Trüffeln in die Sauce geben.
Für das Püree: Die Maronen an den Spitzen kreuzweise einritzen und im vorgewärmten Ofen so lange erhitzen, bis die Schalen platzen. Herausnehmen, etwas abkühlen lassen und die Schalen entfernen. Die Maronen mit kochendem Wasser überbrühen und die innere Haut abziehen. In wenig Salzwasser weich kochen. Das Wasser abgießen. Die Maronen zerdrücken und in erhitzter Butter anrösten, dabei einige Tropfen Weißwein zugeben. Mit Salz, Pfeffer und Muskat abschmecken. Das Püree auf vorgewärmten Tellern anrichten, die Fleischscheiben daneben legen und mit der Trüffelsauce überziehen.
Dazu schmeckt ein leichter würziger Rotwein oder ein Traminer.

Ob beim Festessen oder großen Menü, beim Alltagsessen oder beim intimen Diner – die königlichen Tafeln von früher waren so überladen, daß man seinem Gegenüber schwerlich in die Augen sehen konnte. Die Sicht versperrte nicht nur der gewaltige Tafelaufsatz mit Blumen, der in der Mitte des Tisches thronte. Rechts und links daneben standen mit sieben oder neun Lichtern bestückte Kandelaber, dazwischen Körbe mit Früchten, Etageren mit Zuckerwerk, Wasser- und Weinkaraffen, Essig- und Ölkännchen, Pfeffer- und Salznäpfchen. Bei all dem mußte aber noch Platz sein für Teller, für Besteck, für Kompottschalen, für Schälchen mit Backwerk, für Servietten, für Wasser- und Weingläser. Dagegen erscheinen die gedeckten Tafeln von heute fast ärmlich.

Moritzburger Fasan auf Linsen

Im einstigen Jagdschloß Moritzburg kann der Besucher heute noch sagenhafte Jagdtrophäen bewundern.

Für die Linsen:
500 g Linsen
100 g Sellerie, 2 Zwiebeln
150 g durchwachsener Speck, 3 EL Mehl
½ Liter Fleischbrühe
Salz, Essig, 2 EL Honig
2 Gewürzgurken

Für den Braten:
2 bratfertige Fasane
Salz, Pfeffer, 2 Fasanenlebern, 150 g Butter
3 Wacholderbeeren
4 fette, geräucherte Speckscheiben (200 g)
½ Liter Fleischbrühe
2 EL Sherry
1 EL Speisestärke

Die Linsen über Nacht in 1 Liter Wasser einweichen. Mit dem Wasser und dem geputzten, zerkleinerten Gemüse 1 Stunde kochen. Den in Würfel geschnittenen Speck ausbraten, die Grieben zu den Linsen geben. Im Fett das Mehl unter Rühren hellbraun anschwitzen, mit Brühe glattrühren, aufkochen. Die Sauce mit Salz, Essig und Honig süß-sauer abschmecken. Mit den Linsen vermengen. Saure Gurke in kleine Stücke schneiden und dazugeben.
Für den Braten: Die bratfertigen Fasane mit Salz und Pfeffer einreiben. Die Lebern auf einem nassen Holzbrettchen feinhacken, salzen, mit Butter und den zerriebenen Wacholderbeeren zu einer Paste verarbeiten. Damit das Innere der Fasane ausstreichen. Auf die Fasanenbrüste die Speckscheiben binden. Im vorgeheizten Ofen in geschlossener Pfanne bei 180 °C 10 Minuten auf der rechten, danach 10 Minuten auf der linken Seite braten. Brühe und Sherry angießen. Fasane auf den Rücken legen und in offener Pfanne noch 15 Minuten braten lassen. Die Fasane sollen rosige Brustknochen behalten. Die Linsen auf eine vorgewärmte Platte geben, die Fasane darauf anrichten. Die Sauce mit der in kaltem Wasser angerührten Speisestärke binden und mit den Linsen und Petersilienkartoffeln zu Tisch bringen.

Wenn Präsidenten lieber sächsisch als französisch speisen, muß das Gericht vielversprechend sein. François Mitterrand war von dem einstigen Leib- und Magengericht August des Starken so angetan, daß er den Dresdner Koch kommen ließ. Er prophezeite: Auch die sächsische Küche könne fortan wie die französische andere Küchen beeinflussen.

Wildschweinbraten mit Handwerksbürschle

WILDSCHWEINBRATEN
1,5 kg Wildschweinkeule
4 Wacholderbeeren
2 Pfefferkörner
Salz, Pfeffer
2 Nelken
1 Lorbeerblatt
½ Liter Rotwein
80 g Butterschmalz
4 Dolden reife Holunderbeeren
⅛ Liter süße Sahne
1 TL Stärkemehl
30 g Butter

HANDWERKSBÜRSCHLE
4 Brötchen
80 g Butter
1 kg Kartoffeln
Salz
2 Eier
1 EL Speisestärke
1 EL feingeschnittene Zwiebel
1 Knoblauchzehe
Leinöl oder Sonnenblumenöl

WILDSCHWEINBRATEN
Das Fleisch mit zerstoßenen Wacholderbeeren, Pfefferkörnern, Salz und Pfeffer einreiben. Nelken und Lorbeerblatt darauf legen. ¼ Liter Rotwein angießen. Zugedeckt über Nacht stehen lassen. Zwischendurch ein- bis zweimal wenden. Fleisch herausnehmen, trockentupfen. In erhitztem Butterschmalz ringsum anbraten, anschließend im vorgeheizten Backofen bei 200 °C 25 Minuten weiterbraten. Etwas von der Marinade angießen und noch weitere 40 Minuten zugedeckt bei 180 °C schmoren. Dabei die restliche Marinade angießen. Das Fleisch herausnehmen, warm stellen. Den Bratensatz mit dem restlichen Rotwein loskochen, durch ein Sieb gießen. Die Beeren von den gewaschenen Holunderdolden streifen und in die Sauce geben. Einkochen lassen. Sahne mit dem Mehl verrühren und zugießen. Unter Rühren kurz aufkochen. Butterflöckchen einrühren. Das Fleisch in Scheiben schneiden, auf vorgewärmten Tellern anrichten und mit der Sauce übergießen. Dazu Handwerksbürschle reichen.

HANDWERKSBÜRSCHLE
Die Brötchen in kleine Würfel schneiden und in der Butter ringsum goldgelb ausbacken. Die Kartoffeln schälen und fein reiben. Die Masse kräftig ausdrücken. Salz, Eier, Speisestärke, Zwiebel und die zerdrückte Knoblauchzehe zufügen und alles zu einem festen, aber weichen Teig vermengen. Zuletzt die gebackenen Brötchenwürfel einarbeiten. Leinöl in der Pfanne erhitzen, die Kartoffelmasse portionsweise hineingeben, auf beiden Seiten goldbraun braten und heiß servieren.

August der Starke war nicht nur ein großartiger Jäger, er war auch ein Feinschmecker und guter Esser! Daß er das „Sieße“ liebte, ist bekannt. Schließlich war er Sachse!
Bei großen Festessen, bei denen er pro Mahlzeit mindestens fünf Kilogramm an Gewicht zulegte, durften delikate, aufs feinste zubereitete, würzige Wildgerichte nicht fehlen. Sein Leibkoch mußte sich ständig etwas Neues einfallen lassen – mal Pasteten, mal Ragouts, mal am Spieß Gebrutzeltes, mal Braten aus der Pfanne . . .

Rehschnitte mit Orangen

800 g ausgelöster Rehrücken
Salz
frisch gemahlener schwarzer Pfeffer
2 EL Mehl
100 g Butterschmalz

Für die Sauce:
2 Schalotten
Schale von 1 unbehandelten Orange
60 g Butter
2 Pfefferkörner
4 Wacholderbeeren
⅛ Liter Rotwein
4 EL süße Sahne

Für die Garnitur:
4 unbehandelte Orangen
4 EL Weinbrand
40 g Butter
2 EL geriebene Nüsse
4 EL geröstete Mandelblättchen

Aus dem ausgelösten Rückenfilet flache Scheiben oder Medaillons von etwa 2 – 3 cm schneiden, mit Salz und Pfeffer einreiben, in Mehl wenden und abklopfen. In einer Pfanne Butterschmalz erhitzen und die Fleischscheiben auf beiden Seiten 5 bis 6 Minuten braten. Das Innere soll zart rosa bleiben. Die Fleischscheiben herausnehmen und warm stellen.
Für die Sauce: Den Fond für die Sauce mit ⅛ Liter heißem Wasser loskochen und beiseite stellen.
Die geputzten Schalotten in feine Ringe, die gut gewaschene Orangenschale in dünne Streifchen schneiden und in 30 Gramm Butter andünsten. Die zerdrückten Pfefferkörner und Wacholderbeeren zugeben und mit der Hälfte des Rotweins ablöschen. Etwas einkochen lassen, dann den restlichen Rotwein angießen.
Ebenfalls einkochen, dann den beiseite gestellten Rehfond zufügen und alles um die Hälfte einkochen. Die Sauce passieren und mit Salz und Pfeffer abschmecken. Schlagsahne zugeben und die restliche eisgekühlte Butter einschlagen. Von den geschälten Orangen die bittere, weiße Haut entfernen, dann die Filets aus den Trennhäuten schneiden.
Über die Filets den Weinbrand gießen. In einer Pfanne Butter zerlassen, das Fruchtfleisch kurz darin schwenken und die geriebenen Nüsse darüberstreuen. Die Fleischscheiben auf vorgewärmte Teller legen, die Orangen darauf anrichten und mit gerösteten Mandelblättchen garnieren.
Etwas Sauce angießen.
Dazu schmecken Fleurons oder Toast und ein junger kräftiger Rotwein.

Dieses Gericht wurde nicht nach ihm benannt, obzwar er es mit Leidenschaft aß – der letzte Sachsenkönig: Friedrich August III. Während er kräftig schmauste, lauerten seine drei Söhne und drei Töchter, die essen mußten, was aufgetragen wurde (selbst Königskinder durften bei Tische keine eigenen Wünsche äußern) sehnsüchtig auf das Ende des Königsmahls. Denn in der Regel gab es zum Dessert Gefrorenes mit Früchten, Sahne und Zuckerwerk.
Mit dem legendär gewordenen Spruch „macht eiern Dregg alleene!“ dankte der König einige Jahre später, im November 1918, ab. Er war der letzte der Wettiner, deren Herrschaft 829 Jahre währte. Sic transit gloria mundi – *so vergeht der Ruhm der Welt!*

Robbe & Berking

Gänsebraten mit Bratäpfeln

Für 4 – 6 Personen

1 Gans von etwa 2,5 kg
Salz
weißer Pfeffer
2 EL Beifuß
2 Petersiliensträußchen
4 Äpfel
2 Zwiebeln
1 Handvoll Rosinen
5 EL süße Sahne
1 EL Mehl

Tip:
Beliebt zu Gänsebraten ist auch eine Bornaer Spezialität, allerdings paßt dazu kein Rotkraut.
2 Äpfel werden vom Kernhaus befreit und gerieben. 2 Zwiebeln schälen und ganz fein hacken, mit jeweils 2 Eßlöffeln Öl und Weinessig, Salz und 1 Eßlöffel gemahlenem Kümmel gut vermischen und zur Gans reichen.

Die vorbereitete Gans innen mit Salz und Pfeffer, außen mit Salz einreiben. Den Bauch mit Beifuß und Petersilie füllen. Eine Deckelpfanne 3 cm hoch mit Wasser füllen, erhitzen, die Gans hineingeben und zugedeckt reichlich 2 Stunden im vorgeheizten Backofen bei 180 °C schmoren. Den Braten häufig mit dem Bratensatz beschöpfen und hin und wieder in der Schwanzgegend einstechen, damit das Fett ablaufen kann. Das Kerngehäuse der Äpfel ausstechen. Die geschälten Zwiebeln in kleine Würfel schneiden. Beides zusammen mit den gewaschenen Rosinen 20 Minuten in dem Bratensaft mitschmoren. Den Deckel abnehmen, Äpfel vorsichtig herausnehmen und warmstellen. Die Gans mit Salzwasser bepinseln und 5 Minuten ohne Deckel bei 250 °C knusprig braun braten. Die Gans herausnehmen. Das reine Fett abschöpfen. Den Bratensatz mit etwas Wasser loskochen, durch ein Sieb geben und anschließend mit dem in der Sahne angerührten Mehl binden. Mit Salz und Pfeffer abschmecken. Gans zerlegen, auf einer Platte anrichten. Mit Rotkohl und Kartoffelklößen und Bratäpfeln servieren.

Kein Weihnachten, an dem nicht grüne Klöße und Gänsebraten auf den Tisch kommen. Schon Tage zuvor wird nach der „Richtigen" Ausschau gehalten. Sie darf nicht zu groß sein – sonst paßt sie nicht in die Pfanne –, aber auch nicht zu klein, dann reicht sie nicht für Familie und Verwandtschaft! Und fett? Ja, schon ein bißchen. Denn dann verspricht sie köstlichstes Gänsefett, denn eine Fettbemme, die lieben wir Sachsen immer noch! Am Abend nach der begehrten Stolle und den Pfefferkuchen ist Gänsefettbrot einfach ein Fest!

Feldschlößchen Dresden

Geflügelbrüste à la Saxe

Das Fasanenschlößchen bei Moritzburg mit seinen Parkanlagen.

4 Hähnchenbrüste
frisch gemahlener weißer Pfeffer
Salz
1 EL Mehl
2 Zwiebeln
½ Sellerieknolle
100 g Butterschmalz
2 Knoblauchzehen
¼ Liter Elbtal-Riesling
500 g Blumenkohl
4 EL Milch
1 EL Speisestärke
8 EL Schlagsahne
2 EL Krebsbutter
40 g Butter
16 gare Krebsschwänze
Petersiliensträußchen

Die Hähnchenbrüste von Haut und Knochen befreien, mit Pfeffer und Salz einreiben und mit Mehl bestäuben. Zwiebeln und Sellerie putzen, in kleine Würfel schneiden und im erhitzten Butterschmalz andünsten. Gepellte, zerdrückte Knoblauchzehen zufügen. Den Weißwein angießen und alles zugedeckt 5 Minuten köcheln lassen. Die Hähnchenbrüste hineinlegen und bei geringer Hitze 10 bis 12 Minuten garen. Inzwischen den Blumenkohl in Röschen teilen und in Salzwasser mit der Milch etwa 12 Minuten bei geringer Hitze garen. Die Röschen herausnehmen, abtropfen lassen und warm stellen. Die garen Hähnchenbrüste ebenfalls herausnehmen und warm stellen. Den Hähnchenfond etwas einkochen, dann passieren. Die Speisestärke mit der Sahne verquirlen, in den Fond gießen und unter Rühren aufkochen lassen. Die Krebsbutter zugeben und mit Salz und Pfeffer abschmecken. In einem Pfännchen die Butter zerlassen und leicht salzen. Auf vorgewärmten Tellern die Hähnchenbrüste anrichten. Blumenkohlröschen mit der zerlassenen Butter übergießen und zusammen mit den Krebsschwänzen die Brüstchen umlegen. Petersiliensträußchen waschen, kleine Zweiglein abzupfen und anlegen.
Dazu schmecken gekochte, in Butter geschwenkte Kartoffeln und ein trockener Elbtal-Riesling oder ein guter Meißner Müller-Thurgau.

Krebse oder Krebsschwänze als Beilage, als Garnierung, als Füllung oder verarbeitet zu Pasteten waren nichts Ungewöhnliches in Sachsen. Diese Seitwärtsläufer waren auf den Tischen der Bürgerhäuser ebenso anzutreffen wie bei Hofe oder in den Küchen armer Leute. Und natürlich durfte frisches Gemüse, so wie es die Jahreszeit bot, nicht fehlen.

BERKING

Gemüse, Beilagen und Salate

Leipziger Allerlei

1 Blumenkohl (300 g)
Salz
½ Liter Milch
200 g Prinzeßbohnen
200 g Karotten
200 g Spargel
200 g Morcheln
200 g Butter
weißer Pfeffer
1 EL Zucker
60 g Krebsbutter
Petersilie
Krebsschwänze nach Belieben

Den geputzten Blumenkohl in kleine Röschen teilen, in Salzwasser legen, Milch zugießen, aufkochen lassen und etwa 10 Minuten bei geringer Hitze garen. Bohnen, Karotten, Spargel und Morcheln waschen und putzen. Die Morcheln kurz überbrühen. Bohnen und Spargel in Stücke, Karotten und Morcheln in feine Scheiben schneiden. Wer möchte, kann Karotten und Morcheln auch ganz lassen. Die Morcheln in 50 g Butter mit Salz und Pfeffer, die Karotten in Salzwasser mit 1 Eßlöffel Zucker, das übrige Gemüse, jeweils für sich, in Salzwasser etwa 10 Minuten garen. Das Gemüse soll bißfest sein. Das Gemüse, die Morcheln ausgenommen, abgießen und in der geschmolzenen, gesalzenen Butter schwenken. Farblich abgestimmt auf einer Platte anrichten. Die Morcheln obenauf legen. Mit zerlassener Krebsbutter überglänzen und mit Petersilie garnieren. Nach Belieben zu Leipziger Allerlei Krebsschwänze reichen. Dafür von gegarten Flußkrebsen die Krebsschwänze abtrennen, aus der Schale nehmen und auf dem Gemüse anrichten.

Leipziger Allerlei ist nur echt, wenn es aus frischem Gemüse, so wie es die Saison bietet, zubereitet wird. Derjenige, der diesen Namen auf ein Mischgemüse in Büchsen übertrug, kann kein Leipziger gewesen sein. Ihn trifft der Zorn der Messestädter. Zu Recht! Denn welch eine Gaumen- und Augenfreude ist dieses Leipziger Allerlei mit seinen Extras – wenn man es zuzubereiten versteht!

1991
RULÄNDER
Elbtal
TROCKEN
SACHSEN

Dresdner Krautwickel

Fassade des Leonhardi-Museums in Dresden.

1 kg Weißkraut
2 EL gehackter Kümmel
400 g Hackfleisch (halb Rind, halb Schwein)
1 Brötchen
2 Eier
2 Zwiebeln
Salz, Pfeffer
150 g Schweineherz
150 g Rauchfleisch
2 EL Mehl
Bratfett
¼ Liter Fleischbrühe
4 EL saure Sahne
1 TL Butter

Den Strunk aus dem Kohlkopf herausschneiden und Kopf kurz in kochendem Wasser überbrühen. Die Blätter ablösen. Pro Person 2 bis 3 große Krautblätter nebeneinander so auslegen, daß sie sich etwas überlappen. Mit Kümmel bestreuen.
Für die Füllung Hackfleisch, in Wasser eingeweichtes, dann ausgedrücktes Brötchen, Eier, feingeschnittene Zwiebeln, Salz und Pfeffer vermengen. Rohes, in kleine Würfel geschnittenes Schweineherz und Rauchfleischwürfel unterkneten. Die Fülle auf die Krautblätter geben, Blätter zusammenrollen und mit Rouladennadeln zusammenhalten. In Mehl wälzen und im erhitzten Fett ringsum anbraten, etwas kleingeschnittenes Kraut zufügen. Brühe aufgießen und alles zugedeckt 1 Stunde schmoren lassen. Die Sauce mit saurer Sahne und Butter verfeinern. Salzkartoffeln dazureichen.

Nicht Gemüse neben Fleisch, nein, verpackt, gewickelt und verschnürt – eine Speise mit Rätseln, so wünschen Dresdnerinnen zu dinieren. Und nach diesem Prinzip bereiten sie auch ihre Gerichte. Ganz gleich, ob herzhaft oder süß – auch Klöße oder Kuchen werden gefüllt und gewickelt. Nicht etwa nur bei Hofe war das so, in jeder Elbflorenzerin steckt eine Hofdame. Und vielfältig muß es bei den Zutaten zugehen wie hier bei der Füllung: Hackfleischmasse ist nicht genug, es müssen auch noch viel Herz und Rauchfleisch dazukommen.

Bollenkuchen

Für eine Springform von 28 cm Durchmesser

Für den Teig:
250 g Mehl
100 g Butter
½ TL Salz
2 Eier
1 EL Mineralwasser (kohlensäurehaltig)

Für den Belag:
1 kg Frühlingszwiebeln
300 g gekochter Schinken
100 g Butter
Salz
weißer Pfeffer
5 Eier
⅛ Liter saure Sahne
200 g Quark
1 EL Kümmel

Außerdem:
Butter für die Form

Tip:
Keine Angst vor Zwiebelatem, er läßt sich leicht mit Petersilie bekämpfen!

Für den Teig: Das Mehl auf ein Backbrett sieben. In die Mitte eine Vertiefung drücken. Butterflöckchen und Salz auf dem Mehlrand verteilen. In die Mitte Eier und Mineralwasser geben. Alle Teigzutaten rasch mit einem Messer durchhacken. Die entstandenen kleinen Teigbrösel schnell zu einem glatten Teig verkneten, flach drücken und in Folie einschlagen. Den Teig eine Stunde kühl stellen.
Für den Belag: Inzwischen die Zwiebeln putzen, waschen, in 1 cm breite Stücke schneiden. Den Schinken in kleine Würfel schneiden. In erhitzter Butter Schinkenwürfel und Zwiebelscheiben 3 Minuten dünsten. Mit Salz und Pfeffer würzen. Abkühlen lassen. Eier, Sahne, Quark und Kümmel verrühren, das Zwiebelgemisch zufügen. Den Teig ausrollen, in eine gefettete Form legen und mehrmals mit einer Gabel einstechen. Die Zwiebelmasse auf dem Teig verteilen. Im vorgeheizten Backofen bei 180 °C etwa 45 Minuten backen. Heiß, mit Schnittlauchröllchen garniert, auftragen.

Nicht-Sachsen sollten dieses Anekdötchen laut lesen! Närchendswo läbt sich's so gud wie in Sachsen! Im Frielink wärd daachdäächlich Frielinksgemiese gegoofd und gegocht. Da läßt sich geener neetchen, wenner Bollnguchn uffn Däller hadd! Den gammer wärklich Schtickchen for Schtickchen midder Zunge zerdricken. Da fiehlt mr sich als Mänsch so richtch wohl, das gibbt een Grafft un erfreit'n Maachen. Un aus'm verbliehdn Radieschn machdr ä bludjunges Dink. Ooch bei Bauchgneim un wenn ein de Liewe abdrickt, muß mer Bollenguchen essn. Da leecht sich de Nerwosidäd von alleene.

Möhrenpudding

Ländliche Idylle im Erzgebirge bei Seiffen.

Für den Pudding:
500 g Möhren
Salz
½ TL Zucker
1 Messerspitze Muskat
4 EL süße Sahne
4 Eier
50 g Butter und 1 EL Semmelbrösel für die Form

Für die Sauce:
200 g Brunnenkresse
1 Ei
½ TL Senf
6 EL Öl
weißer Pfeffer
2 EL Zitronensaft

Für den Pudding: Die geputzten Möhren in Scheiben schneiden. Mit Salz, Zucker und Muskat in Wasser 15 Minuten im geschlossenen Topf gar kochen. Pürieren und Sahne zufügen. Die Eier trennen, die Eigelb unterrühren. Eiweiß zu steifem Schnee schlagen und vorsichtig unter die Möhrenmasse heben. Eine Pastetenform ausbuttern und mit Semmelbröseln bestreuen. Die Masse einfüllen und im vorgeheizten Wasserbad bei 150 °C 45 Minuten garen.

Für die Sauce: Inzwischen die vorbereitete Kresse erst mit kochendem, dann sofort mit kaltem Wasser übergießen. Sehr fein hacken und mit Ei und Senf pürieren. Das Öl eintröpfeln lassen, dabei so lange rühren, bis die Sauce cremig ist. Mit Salz, Pfeffer und Zitronensaft abschmecken. Den Pudding stürzen und mit der Sauce begießen. Dazu schmeckt Feldsalat.

Bodenständiges Gemüse spielte in Sachsens Küchen schon immer eine große Rolle, wenngleich es häufig zu Mus gekocht und angeschwitzt wurde. Diese „Mode“ kam dem Möhrenpudding zugute. Die aufs feinste zerkleinerten Möhren mit köstlichen anderen Zutaten und der herrlich grünen Sauce ergeben einen raffinierten Zungenspitzenreiter.

Poletscho mit Bohnengemüse

1 kg Kartoffeln
500 g grüne Bohnen
250 g durchwachsener Speck
100 g Butter oder Margarine
2 Zwiebeln
Bohnenkraut
Salz
weißer Pfeffer
Petersilie
1 EL Mehl
½ Liter Milch
4 EL geraspelte grüne Gurke

Die Kartoffeln in der Schale kochen. Inzwischen die Bohnen putzen, Fäden abziehen und in kleine Stücke schneiden.
150 g Speck in kleine Würfel schneiden. Die Hälfte der Butter erhitzen, die Speckwürfel darin kroß braten. 1 Zwiebel schälen, fein hacken und zusammen mit den Bohnen, dem Bohnenkraut, Salz und Pfeffer dazugeben. Etwas heißes Wasser angießen und 20 Minuten dünsten. Gehackte Petersilie darüberstreuen. Warm stellen.
Die Kartoffeln pellen und in Scheiben schneiden. Kalt stellen. Die zweite Zwiebel schälen, in feine Scheiben schneiden. Den übrigen Speck kleinwürfelig schneiden. Beides in der Pfanne rösten. In der restlichen Butter das Mehl unter Rühren hellgelb werden lassen. Nach und nach mit kalter Milch verrühren. Das Speck-Zwiebel-Gemisch zufügen, kurz aufkochen lassen. Mit Salz und Pfeffer abschmecken. Über die erkalteten, auf Tellern angerichteten Kartoffelscheiben gießen. Geraspelte grüne Gurke darauf verteilen. Dazu das Bohnengemüse reichen. Nach Belieben können zu Poletscho Spiegeleier aufgetragen werden.

Poletscho ist ein Kartoffelsalat auf sorbische Art. Er wird niemals in einer Schüssel angerichtet und womöglich einige Zeit stehen gelassen. Die Verehrung für die Kartoffel ist bei den Sorben so groß, daß sie sie meistens pur auf die Teller geben. Aber dann bekommt die Knolle, was sie verdient: feine Saucen, Marinaden, Köstlichkeiten aus Gemüse.

Stupperche mit Sauerkraut und Speck

1,5 kg Kartoffeln
Salz
Kümmel
Petersilienstiele

Für das Sauerkraut:
300 g rohes Sauerkraut
1 Zwiebel
2 Karotten
½ TL Zucker
4 EL Öl

Für die Stupperche:
3 EL Speisestärke
1 EL Mehl
1 EL Grieß
3 Eier
1 Messerspitze Muskat
250 g durchwachsener Speck
250 g Zwiebeln
2 EL gehackte Petersilie

Für die Stupperche: Die Kartoffeln in der Schale kochen, dem Kochwasser etwas Salz, Kümmel und Petersilienstiele zufügen.
Für das Sauerkraut: Sauerkraut etwas zerschneiden und ungekocht in eine Schüssel geben. Zwiebel und Karotten putzen und feingeschnitten mit Zucker und Öl zufügen. Die Zutaten locker vermischen. Zugedeckt mindestens 1 Stunde ziehen lassen.
Für die Stupperche: Die garen Kartoffeln schälen und durch eine Presse geben. Mit 1 Eßlöffel Speisestärke, Mehl, Grieß, Eiern, Salz und Muskat zu einem Teig verarbeiten. Fingerstarke Würstchen formen. 2 Liter Salzwasser zum Kochen bringen, Würstchen in dem restlichen Stärkemehl wälzen und in das siedende Salzwasser geben. Kurz aufwallen lassen, anschließend 10 Minuten ziehen lassen. Inzwischen Speck von der Schwarte befreien, in kleine Würfel schneiden und mit den geschälten und klein geschnittenen Zwiebeln in einer Pfanne knusprig braten. Die garen Stupperche abtropfen lassen, auf einer vorgewärmten Platte anrichten und Speck-Zwiebel-Gemisch darauf verteilen. Petersilie darüberstreuen. Zusammen mit dem Sauerkraut auftragen.

Tante Claras Mittagstisch war berühmt wegen der köstlichen Sonntagsbraten und Desserts. Im Hause des Leipziger Buchhändlers Hermann Adolf Haenel trafen sich jeden Sonntag Gelehrte, Schauspieler, Musiker. Mit dem Glockenschlag „eins" tischte Tante Clara, die Nichte des Hausherren, auf. Einmal war es ihr passiert, daß der Braten angebrannt und guter Rat teuer war. Da erinnerte sie sich an ein Rezept ihrer Urgroßmutter, die aus Zittau stammte: Stupperche. Diese schmackhaften Kartoffelwürstchen waren gewiß mehr als nur ein Sonntagsbraten-Ersatz. „Ein Lob der Köchin", riefen die Gäste und vergaßen beim munteren Diskutieren das Zulangen nicht. Tante Clara servierte Stupperche von da an öfter.

ÄBERLAUSITZER SCHÄLKLIESSL

Im Zittauer Gebirge am Himmelfahrtstag.

400 g Mehl
4 Eier
Salz
100 g Butter
100 g Semmelbrösel
2 EL gehackte Petersilie
1 EL gehackter Schnittlauch
1 Liter Fleischbrühe
1 Suppengrün
½ TL Majoran

Tip:
Suppengrün besteht aus 1 kleinen Möhre, 1/8 Knolle Sellerie, ½ Stange Porree, 1 Petersilienwurzel.

Aus dem Mehl, Eiern, etwas Salz und – wenn nötig – etwas kaltem Wasser einen festen Nudelteig kneten und 1 Stunde ruhen lassen. Pfannkuchengroße Stücke dünn ausrollen. Darauf zerlassene Butter, Semmelbrösel, gehackte Petersilie und feingeschnittenen Schnittlauch geben. Die Teigfladen aufrollen. Davon schräg 2 cm breite Scheibchen abschneiden. Die Ränder fest zusammendrücken. Die Fleischbrühe mit dem geputzten, gewaschenen und grob zerkleinerten Suppengrün und Majoran kurz aufkochen lassen, die Teigstückchen hineingeben und 10 Minuten bei geringer Hitze gar ziehen lassen. Wenn Schälkließl als Beilage verwendet werden, nach 10 Minuten mit dem Schaumlöffel herausnehmen und zu Fleisch- oder Gemüsegerichten servieren.

Schälkließl werden gern zum Braten gegessen. Man verwendet sie aber auch – besonders im Zittauer Raum – als Suppeneinlage. An Kräutern wird nicht gespart. Die erntet man vom eigenen Beet oder vom Blumentopf am sonnigen Küchenfenster oder auf dem Balkon. Die Kräuter geben den Schälkließln nicht nur ein lustiges Aussehen, sondern auch würziges Aroma.

Glasierte Schalotten
Stötteritzer Hemdbohnen

GLASIERTE SCHALOTTEN
300 g Schalotten
100 g Butter
50 g Zucker
3 EL klare Fleischbrühe

STÖTTERITZER HEMDBOHNEN
1 kg grüne Bohnen
Salz
6 Eier
weißer Pfeffer
2 EL Mehl
Öl

GLASIERTE SCHALOTTEN
Die Schalotten vorsichtig schälen, damit sie nicht an der Oberfläche beschädigt werden. Zusammen mit der Butter und dem Zucker unter ständigem Schütteln in einer Pfanne ringsum bräunen. Wenn der Zucker beginnt, zu stark zu karamelisieren, mit etwas Fleischbrühe ablöschen und so lange weiterbewegen, bis die Flüssigkeit verdampft ist und die Schalotten goldbraun und glänzend sind.
Glasierte Schalotten sind eine köstliche Beilage zu Fisch und Fleisch, ganz besonders schmecken sie zu kaltem Braten und zum Bier.

STÖTTERITZER HEMDBOHNEN
Die geputzten und gewaschenen Bohnen in Salzwasser 10 Minuten kochen. Gut abtropfen lassen, und jeweils 5 Bohnen mit Zwirn zu einem kleinen Bündel zusammenbinden. Die Eier trennen. Eigelb mit Salz und Pfeffer verschlagen. Das Mehl unterrühren. Eiweiß zu steifem Schnee schlagen und vorsichtig unter den Teig ziehen. Die Bohnenbündel in diesem Teig wälzen und in heißem Öl ringsum schwimmend goldgelb ausbacken. Hemdbohnen schmecken als Beilage zu Fleisch, am leckersten sind sie als Snack zu Bier oder Wein.

Auch auf Stötteritz, heute ein Stadtteil Leipzigs, fiel Ende des 18. Jahrhunderts etwas Glanz vom literarischen Leben. Auf dem Rittergut des Christian Felix Weiße trafen sich zeitgenössische Schriftsteller: Jean Paul, Wieland, Rammler, Thümmel. Weiße pflanzte das Stötteritzer Wäldchen an. An Sonnabenden diskutierten die Gelehrten bis weit nach Mitternacht bei Apfel-Bier-Bowle oder Maibowle, Fettbemmen und Hemdbohnen. Sogar Napoleon hat das Rittergut gefallen. Während der Völkerschlacht hat er dort kampiert.

Sächsische Wickelklösse

Pferdewagen als umweltfreundliche Touristenattraktion vor der Semperoper in Dresden.

Einmal auf den Kartoffelkloßgeschmack gekommen, dachten sich die probierfreudigen Köchinnen und Köche stets neue Varianten aus: mal gefüllt mit zerlassener Butter und gehackten Kräutern oder mit gerösteten Semmelbröseln, mal mit Speckwürfeln. Hauptsache, es konnte gewickelt werden!

800 g Kartoffeln
300 g Mehl
2 Eier
1 TL Backpulver
Salz
2 EL Milch
1 kg durchwachsener Speck
2 EL Semmelbrösel
1 Liter klare Fleischbrühe
Schnittlauch

Tip:
Am besten passen Wickelklöße zu Fleischgerichten mit Sauce.

Kartoffeln in der Schale kochen, pellen und reiben. Mehl, Eier, Backpulver und Salz zufügen. Alles zu einem geschmeidigen Teig verkneten, Milch zugeben, der Teig darf nicht zu fest sein. Den Teig zu einem 1 cm dicken Quadrat ausrollen. Den Speck in Würfel schneiden und anbraten. Abgekühlt, ohne Fett, auf dem Teig verteilen. Semmelbrösel daraufstreuen. Von der Längsseite her aufrollen. 4 cm dicke Scheiben abschneiden und in der auf 90 °C erhitzten Fleischbrühe 20 Minuten ziehen lassen. Herausnehmen, abtropfen lassen, in eine Schüssel füllen. Etwas von dem ausgelassenen Speckfett darübergeben. Mit Schnittlauchröllchen garnieren.

Annaberger Kliess mit Birnen

Für den Teig:
300 g Mehl
20 g Hefe
2 EL Zucker
1/8 Liter Milch
1 kräftige Prise Salz
50 g Butter
1 Ei
Fett für die Form

Für den Belag:
500 g Birnen
3 Äpfel
100 g Zucker
2 EL Zitronensaft
200 g durchwachsener Speck

Für den Teig: Das Mehl in eine Schüssel sieben, in die Mitte eine Vertiefung drücken. Die Hefe hineinbröckeln, Zucker darüberstreuen und mit etwas lauwarmer Milch verrühren. Die Schüssel mit einem Tuch bedecken und 20 Minuten warm stellen.
Danach die restliche Milch, Salz, Butter und Ei zufügen und zu einem glatten, nicht zu festen Teig verkneten. Wenn sich der Teig vom Schüsselrand löst, ist er gut. Nochmals 30 Minuten zugedeckt gehen lassen.
Für den Belag: Birnen und Äpfel schälen, in Viertel schneiden, das Kernhaus entfernen, danach in Spalten schneiden. In wenig Wasser mit Zucker und dem Zitronensaft 10 Minuten dünsten.
Teig durchkneten und in drei Teile teilen. Eine Auflaufform ausfetten, jedes Teigstück ausrollen und Auflaufform mit einem Drittel des Teiges belegen. Darauf den in Scheiben geschnittenen Speck verteilen, die Hälfte des Obstes darübergeben, mit einem weiteren Teigdrittel bedecken und mit Obst auffüllen. Mit dem letzten Teigdrittel abschließen.
Butter zerlassen und auf den Teigdeckel pinseln. Im vorgeheizten Backofen bei 200 °C 40 Minuten backen.

Saß man des Abends zusammen, die Frauen und Mädchen klöppelten, häkelten, stickten; die Männer schnitzten oder drechselten, dann gab es Kließ – ganz ofenfrisch. Hefeteig wurde in guten Zeiten mit Obst und Speck oder mit Rosinen und Mandeln verfeinert. Meist gab es ihn aber nur mit Butter oder Öl bestrichen und mit etwas Zucker bestreut. Die Mahlzeiten waren karg im Erzgebirge. Hefegebäck – auch als Plinsen in der Pfanne gebrutzelt – und Kartoffeln, gekocht, gebraten, gebacken, süß oder auch mal herzhaft, dazu die Früchte des Waldes, Pilze und Beeren, waren die Hauptnahrungsmittel. Am „Sunndich“ kam, wenn es irgend möglich war, ein Braten auf den Tisch: Hasen-, Kaninchen- oder Hammelbraten, an besonderen Feiertagen Ente, Gans, Fasan, Wachteln oder Wildgulasch.

Feldsalat
Sellerie-Apfel-Salat

Unweit von Seiffen im Erzgebirge.

FELDSALAT
4 EL Kräuteressig
Zucker nach Belieben
Salz
weißer Pfeffer
4 EL Öl
1 kleine Zwiebel
250 g Pellkartoffeln
400 g Feldsalat
1 Handvoll Kresse

SELLERIE-APFEL-SALAT
500 g gekochter Sellerie
2 Äpfel
3 EL Mayonnaise
4 EL saure Sahne
3 EL gehackte Petersilie
Salz
weißer Pfeffer

FELDSALAT
Aus Essig, Zucker, Salz, Pfeffer und Öl eine Marinade bereiten. Zwiebelwürfel zugeben. Die noch warmen, gepellten Kartoffeln in Scheiben schneiden und hineingeben. Den gewaschenen und geputzten Salat gut abtropfen lassen. Erst kurz vor dem Servieren Feldsalat und Kresse untermischen.

In Sachsen mag man mancherorts den Salat nicht deftig, sondern gezuckert. Blatt- oder Feldsalat wird mit Zitronensaft begossen, einige Spritzer Öl kommen dazu und jede Menge Zucker – daß es beim Essen knirscht!

SELLERIE-APFEL-SALAT
Den gekochten Sellerie schälen und in feine Streifen schneiden. Die gewaschenen Äpfel ungeschält in Viertel teilen, vom Kernhaus befreien und in kleine Würfel schneiden. Aus Mayonnaise und saurer Sahne, Petersilie, Salz und Pfeffer eine Sauce bereiten und damit die anderen Zutaten binden. Den Salat mindestens 1 Stunde durchziehen lassen.

Tip:
Um zu vermeiden, daß geschälte Äpfel sich bräunlich verfärben, sollte man sie mit Zitronensaft beträufeln.

PILSENER

Süsse Speisen und Getränke

Quarkkeulchen mit Apfelspalten

Für die Quarkkeulchen:
500 g gekochte Kartoffeln vom Vortag
50 g Mehl
200 g Quark
1 kräftige Prise Salz
50 g Zucker
½ TL abgeriebene unbehandelte Zitronenschale
3 Eier
2 EL gehackte Mandeln
2 EL gehobelte Mandeln
Butter zum Braten
Zimtzucker

Für die Apfelspalten:
300 g Äpfel
50 g Butter
50 g Honig
250 g Apfelmus

Zum Garnieren:
Minzeblätter
Schlagsahne
kandierte Kirschen

Kartoffeln reiben und locker mit dem Mehl vermengen. Quark, Salz, Zucker, Zitronenschale und Eier zugeben. Alles zu einem Teig verarbeiten. Zuletzt die Mandeln darunter kneten. Mit bemehlten Händen kleine Keulchen formen. In einer Pfanne die Butter zerlassen und die Keulchen darin langsam goldgelb backen. Mit Zimtzucker bestreuen.
Für die Apfelspalten: Die Äpfel schälen, in Viertel schneiden, Kerngehäuse entfernen, in feine Scheiben schneiden. In einer Pfanne Butter und Honig erhitzen, die Apfelspalten darin schwenken und auf dem Apfelmus anrichten. Mit Minzeblättchen, Schlagsahne und kandierten Kirschen garnieren.

Quark und Obst – das ideale Dessert-Paar gibt der Kartoffel, der viel verwendbaren, das gewisse Etwas. Nicht nur Kinder mögen diese ovalen, goldgelben Dinger, auch Erwachsene können den „Gäsegeilchen“ (Käsekeulchen) selten widerstehen. Verfeinern und kreieren kann man sie auf vielfältigste Art: An den Teig können Rosinen oder kandierte Früchte gegeben werden, und anstelle von Apfelspalten kann man Kompott von Beerenobst reichen.

Borsdorfer Apfelpfannkuchen

4 Eier
100 g Zucker
1 TL abgeriebene unbehandelte Zitronenschale
200 g Mehl
2 EL Speisestärke
⅛ Liter kohlensäurehaltiges Mineralwasser
⅛ Liter helles Bier
1 Prise Salz
5 g Zimt
1,5 kg Borsdorfer Äpfel oder andere knackige, aromatische Äpfel
3 EL Zitronensaft
Öl zum Ausbacken
Zimtzucker

Die Eier trennen. Eigelb schaumig schlagen. Zucker und Zitronenschale zufügen. Alles so lange schlagen, bis sich der Zucker aufgelöst hat. Mehl und Stärkemehl vermengen, durch ein Sieb geben. Eßlöffelweise zusammen mit Mineralwasser und Bier einrühren. Salz zufügen.
Den Teig mit Zimt abschmecken und 30 Minuten quellen lassen. Inzwischen die Äpfel schälen, die Kerngehäuse ausstechen. Die Äpfel in Scheiben schneiden, mit Zitronensaft beträufeln, damit sie sich nicht braun färben. Eiweiß zu steifem Schnee schlagen und unter den Teig heben. In einer Pfanne Öl erhitzen, die Apfelscheiben zuerst durch den Teig ziehen und dann ins heiße Fett geben. Auf beiden Seiten goldgelb ausbacken. Mit Zimtzucker bestreut servieren.

Die Schwestern Uschi und Lotti sollen Äpfel pflücken. 'S gleene Meisel Uschi band sich die Kopfguge unterm Kinn fest, die Lotti setzte sich 'n Bibbi uffn Dähz. Uschi achtete auf dem Weg in den Garten sehr darauf, daß sie nicht in die Gänsenorbeln trat. Lotti wurde ungeduldig: „Wie lange mährschde denn schonste widder?" Als sie am Apfelbaum angekommen waren, entdeckten sie, daß keine Äpfel dranhingen. „Gomisch, uns had geener nischt gesachd, geemer äbn widder heeme." „Mach geene Mährde", sagt 's gleene Meisel Uschi und band sich die Kopfguge fester, „du dich biggen, se liechen alle undn." Und dann gab's doch noch ihr Lieblingsessen: Apfelpfannkuchen.

Leipziger Räbchen

Die Uhr am Alten Rathaus in Leipzig.

Für den Teig:
¼ Liter Bier
1 EL Öl
1 TL Zucker
250 g Mehl
2 Eiweiß

Für die Füllung:
150 g geriebene Mandeln
2 EL Zucker
50 g Butter
50 g Rosinen
2 EL Rum

Außerdem:
1 kg Pflaumen
Öl zum Ausbacken
Zimtzucker
Puderzucker nach Belieben

Für den Teig: Das Bier mit Öl und Zucker verquirlen, nach und nach das Mehl zugeben und alles zu einem zähflüssigen Brei verarbeiten. Eiweiß steif schlagen und unterheben.
Für die Füllung: Geriebene Mandeln mit Zucker, weicher Butter, Rosinen und Rum vermengen. Die gewaschenen, entkernten (nicht aufgeschnittenen) Pflaumen mit der Marzipanmasse füllen, in den Teig tauchen und in Öl schwimmend goldgelb ausbacken. In Zimtzucker wälzen, nach Belieben mit Puderzucker besieben. Noch warm mit Schlagsahne und kandierten Früchten servieren.

Früchte im Teig, nicht nur darauf, sind im Kuchenland Sachsen keine Seltenheit. Mit Vorliebe verpackte man Apfel- oder Quittenscheiben, Kirschen oder Pflaumen. Immer neue Feinheiten dachten sich die phantasiebegabten Urahnen aus – so wie diese Füllung aus Marzipan. Gefüllte Pflaumen wurden nicht nur in Teig verpackt, manch einer bevorzugte sie mit einem Schokoladen- oder Zuckerguß.

Adorfer Wachsstöckle

500 g Mehl
30 g Hefe
80 g Zucker
¼ Liter Milch
80 g Butter oder Margarine
1 Prise Salz
½ TL abgeriebene unbehandelte Zitronenschale
2 Eier
Ausbackfett
Puderzucker

Tip:
Nach Belieben kann man die Wachsstöckle auch mit einer Zuckerglasur überziehen. Dafür rührt man Puderzucker mit 3 Eßlöffel heißem Wasser und 20 g zerlassener Butter glatt.

Das Mehl in eine Schüssel sieben, in die Mitte eine Vertiefung drücken. Die zerbröckelte Hefe und 1 Teelöffel Zucker in etwas lauwarmer Milch verquirlen und in die Vertiefung gießen. Mit wenig Mehl zu einem Hefevorteig (dem „Stöckle“) verarbeiten. Auf den Mehlrand Butterflöckchen und die Gewürze geben. Mit einem Tuch abdecken und 1 Stunde an einem warmen Ort gehen lassen. Dann mit Eiern und der restlichen Milch zu einem glatten Teig verarbeiten. Kräftig schlagen. Nochmals eine Stunde gehen lassen und kneten. Aus dem Teig 1 cm dicke, 25 cm lange Rollen drehen, die Enden umeinanderschlingen wie zu einem einfachen Knoten.
15 Minuten gehen lassen. Die Wachsstöckle schwimmend in siedendem Fett goldbraun backen. Mit einem Schaumlöffel herausnehmen, gut abtropfen lassen und in Zucker wälzen.

Zur Kirmes, wenn „gett dos guete Essen a“, gehen im Vogtland die Kinder von Tür zu Tür, singen Lieder, bis die Hausfrau Kuchen bringt. Dieses Gebäck „mit Loch“ läßt sich gut auf Stöcken aufreihen und man kann eine Menge davontragen. Am besten schmecken Wachsstöckle, wenn sie noch warm sind. Beim Bäcker liegen sie nie lange aus, so begehrt sind sie. Ob sie von dort jemals an einen Kaffeetisch gelangt sind, ist nicht gewiß. Meist werden sie schon auf der Straße geknuspert.

Kürbisfladen
Schneeberger Plinsen

KÜRBISFLADEN
1 kleiner Kürbis von
1½–2 kg Gewicht
Salz
100 g Mehl
2 EL Milch
3 Eier
100 g Semmelbrösel
Öl oder Butterschmalz

SCHNEEBERGER PLINSEN
150 g Mehl
10 g Hefe
¼ Liter Milch
2 Eier
2 EL Rosinen
1 Prise Salz
1 TL Zucker
Fett zum Braten

KÜRBISFLADEN (rechts)
Den Kürbis schälen, Kerne und Mark entfernen. Den Kürbis in Scheiben schneiden. Die Scheiben beidseitig mit Salz bestreuen und 30 Minuten ziehen lassen. Inzwischen das Mehl mit Milch und Eiern verquirlen und 20 Minuten quellen lassen. Die Kürbisscheiben durch den Teig ziehen, in Semmelbröseln wenden und in erhitztem Öl goldgelb schwimmend ausbacken. Sie schmecken süß, mit Zucker bestreut, zu Kompott oder auch als vegetarisches Hauptgericht.

Kürbisfladen ißt man im Vogtland zum Erdäpfelpelz (Kartoffelbrei). In einigen Ortschaften werden die Kürbisspalten erst süß-sauer eingelegt – in einer Mischung aus Essig, Zucker, Salz, Zimt, Zitronenschale, Ingwer –, ehe sie paniert und gebraten werden. „Etwas Kürbis täglich, keine Krankheit quält dich" – dieses Sprichwort nimmt man so ernst, daß für den Kürbis sogar ein Tortenrezept erdacht wurde. Das ist nur gerecht, denn es geht die Sage, daß in einem Kürbis mit besonders vielen zierlichen Ranken eine verzauberte Königstochter steckt, die noch immer auf ihren Erlösungskuß hofft.

SCHNEEBERGER PLINSEN (links)
Alle Zutaten, die Hefe zerbröckelt, zu einem dickflüssigen Teig verrühren. 1 Stunde an einem warmen Platz zugedeckt gehen lassen. Mit einer Kelle portionsweise Teig in erhitztes Fett geben und auf beiden Seiten goldgelb braten.

Kaffeezeit ist im Erzgebirge Plinsenzeit. Sie sind ebenso beliebt wie Aardäppelkuchen. Freilich hat es nicht immer zu den Rosinen gereicht. Meist wurde einfacher Hefeteig – auch oft ohne Eier – in einer mit Speck ausgefetteten Pfanne gebraten. Aber Marmelade aus Waldbeeren oder Kompott standen immer daneben.

Fürst-Pückler-Eis

¾ Liter Schlagsahne
3 EL Zucker
6 Mandelmakronen
4 EL Maraschino
200 g frische Erdbeeren
80 g Bitterschokolade
1 EL abgeriebene unbehandelte Orangenschale
1 EL Milch

Zum Garnieren:
⅛ Liter Schlagsahne
½ EL Zucker
2 EL Schokoladensplitter

Die Sahne mit dem Zucker steif schlagen und in drei Teile teilen. Die Mandelmakronen zerkrümeln und mit Maraschino beträufeln. Die geputzten und gewaschenen Erdbeeren im Mixer pürieren. Die Schokolade mit Orangenschale und Milch schmelzen und danach abkühlen, aber nicht fest werden lassen. Ein Drittel der Sahne mit dem Erdbeerpüree vermengen. Einem weiteren Drittel die Schokoladenmasse unterrühren. Unter den letzten Sahneteil die Makronenmasse mischen. In einer kalt ausgespülten Königskuchen- oder Rehrückenform zuerst die weiße Creme verteilen und einige Minuten im Tiefkühlschrank anfrieren lassen. Jetzt die Fruchtmasse daraufgeben. Anfrieren lassen, dann die Schokoladencreme daraufstreichen. Im Tiefkühlschrank oder im Gefrierfach des Kühlschrankes über Nacht gefrieren lassen. Bevor das Eis gestürzt wird, die Form kurz in heißes Wasser tauchen. Die Sahne mit dem Zucker steif schlagen, in eine Spritztülle füllen und das Eis damit verzieren. Obenauf Schokoladensplitter verteilen.

Des „tollen Pücklers" Herz ruht in Branitz, im Land Brandenburg. Aber heftig geschlagen hat es jahrzehntelang für Sachsen – für einen der schönsten Landschaftsparks Europas in Muskau in der Oberlausitz. Es gelang ihm, unfruchtbares Land, das nur aus Sand und Lehm bestand, in einen blühenden Garten mit künstlichen Seen, Wasserfällen, aufgeworfenen Hügeln und schattenspendenden Bäumen zu verwandeln. „Man überlege Jahr und Tag, ehe man das Hinrichtungsbeil an einen Baum lege", war einer seiner Grundsätze. Unter seinem Lieblingsbaum vor dem Schloß, einer Blutbuche, mag er seinerzeit gesessen haben, als ihm sein Koch diese sahnige, eisige Überraschung, die fortan seinen Namen tragen sollte, kredenzte.

Kaffeehaus-Genüsse

GEWÜRZKAFFEE
10 TL gemahlener Kaffee
4 Nelken
½ Zimtstange
4 Tassen Wasser
¼ Liter Schlagsahne
2 EL Zucker
8 cl Weinbrand
Verzuckerte Veilchenblüten (Rezept S. 178)

SCHOKOLADENKAFFEE À LA RICHTER
100 g Bitterschokolade
¼ Liter Schlagsahne
3 Tassen starker schwarzer Kaffee
1 EL Zucker

ROSENLIKÖR
200 g stark duftende Rosenblütenblätter
150 g Zucker
⅜ Liter Korn
5 cl Weinbrand

GEWÜRZKAFFEE
Kaffee, Nelken, Zimtstange mit kochendem Wasser überbrühen. 5 Minuten zugedeckt ziehen lassen. Dabei warm stellen. In der Zwischenzeit die Sahne steif schlagen, 1 Eßlöffel Zucker zufügen. Den Kaffee durch ein Sieb gießen, restlichen Zucker einrühren. In vorgewärmte Tassen je 2 cl Weinbrand gießen, mit Kaffee auffüllen. Auf jede Portion 1 bis 2 Eßlöffel steifgeschlagene Sahne setzen und mit verzuckerten Veilchenblüten verzieren.

Schon vor 200 und mehr Jahren kannte man in den sächsischen Kaffeehäusern vielerlei wohlschmeckende Rezepturen. Man brühte den Kaffee zur Hälfte mit Wasser, zur Hälfte mit Milch. Oder verfeinerte ihn mit allerlei Gewürzen oder Schokolade. Das erste Kaffeehaus Sachsens „Zum arabischen Coffee Baum“ entstand im Jahre 1694. Hier trank der starke August den ersten Kaffee seines Lebens. Ob pur oder verfeinert, das ist nicht überliefert. Jedenfalls soll er – der Legende nach – von dem Genuß so begeistert gewesen sein, daß er der Schenke eine Steinplastik, einen Kaffeebaum mit davor ruhendem Türken, „spendierte“.

SCHOKOLADENKAFFEE À LA RICHTER
Die zerkleinerte Schokolade in ⅛ Liter Sahne erhitzen und so lange rühren, bis sie sich aufgelöst hat. Heißen Kaffee zugießen. In 4 vorgewärmten Tassen den Zucker verteilen, Schokoladenkaffee aufgießen. Von der restlichen steifgeschlagenen Sahne Häubchen auf jede Tasse setzen. Dazu ein Gläschen Rosenlikör servieren.

ROSENLIKÖR
Von den frischgepflückten Rosenblütenblättern die bitteren Stielansätze entfernen. Die Blätter in eine Porzellanschüssel legen und mit ¼ Liter kochendem Wasser übergießen, so daß sie knapp bedeckt sind. Zugedeckt 12 Stunden ziehen lassen. Das Rosenwasser in einen Topf seihen und den Zucker zugeben. Unter ständigem Rühren erhitzen, den Topf vom Feuer nehmen. Wenn die Flüssigkeit erkaltet ist, Korn und Weinbrand unterrühren. Den Likör in Flaschen füllen, gut verschlossen etwa 4 Wochen kühl und trocken lagern.

Apfel-Bier-Bowle
Rosenbowle

APFEL-BIER-BOWLE
Für etwa 3 Liter:
600 g Äpfel
3 unbehandelte Zitronen
150 g Zucker
2 Nelken
1 Messerspitze Zimt
4 Flaschen Wernesgrüner Pilsener

ROSENBOWLE
30 stark duftende Rosenblütenblätter
100 g Zucker
1 kräftige Prise Salz
4 cl Weinbrand
2 Flaschen trockener Elbtal-Riesling
1 Flasche Rotkäppchensekt

Tip:
Alle Zutaten, auch die Früchte, kühlen. Eiswürfel nie direkt in die Bowle geben, die Würfel schmelzen und verwässern die Bowle!
Niemals verzinkte Gefäße oder Blechgefäße verwenden. Das gilt auch für den Löffel!
Damit Bowle nicht trüb wird, den Zucker vorher in etwas heißem Wasser auflösen!

APFEL-BIER-BOWLE
Das Kernhaus der Äpfel ausstechen. Äpfel in gleich große dünne Scheiben schneiden. 2 Zitronen auspressen. Den gewonnenen Saft mit Zucker, Nelken, Zimt über die Apfelscheiben gießen, mischen und dann mindestens ½ Stunde ziehen lassen. Die restliche, in Scheiben geschnittene Zitrone zufügen. Alles in einem Bowlengefäß anordnen und mit Bier auffüllen. Die Bowle zugedeckt mindestens 3 Stunden ziehen lassen. Eiskalt servieren.

Leipziger lieben ihre Bowlen. Kein Getränk habe so viel Poesie ... behaupteten Bowlenverehrer schon vor Jahrzehnten. Wo es Bierbowle gab, ließen sie sich gern mit Kind und Kegel nieder – im Mückenschlößchen an der Rosentalbrücke, im Schützenhaus in Sellerhausen, in Schloß Debreshof in Eutritzsch. Wer Rosenbowle bevorzugte, spazierte in die Drei Lilien nach Reudnitz oder in den Eiskeller nach Connewitz. Vielleicht gibt es diese Gaststätten bald wieder?

ROSENBOWLE
Von den frisch gepflückten, gewaschenen und abgetropften Rosenblütenblättern die bitteren Stielansätze entfernen. Die Rosenblütenblätter in ein Bowlengefäß legen. Zucker und Salz darüberstreuen, Weinbrand aufgießen. Das Gefäß abdecken und mindestens 2 Stunden kühl stellen. Weißwein aufgießen und zugedeckt im Kühlschrank mindestens 2 Stunden durchziehen lassen. Vor dem Servieren eisgekühlten Sekt aufgießen.

Kuchen, Torten und Gebäck

Dresdner Weihnachtsstollen

Für 4 – 6 Stollen

1,5 kg Sultaninen
250 g Korinthen
¼ Liter Rum
2,5 kg Mehl
¾ Liter Milch
275 g Hefe
500 g Zucker
4 Päckchen Vanillinzucker
1 EL abgeriebene unbehandelte Zitronenschale
35 g Salz
1,2 kg Butterschmalz
150 g Zitronat
10 bittere Mandeln
300 g süße Mandeln
Butter für das Kuchenblech

Für die Glasur:
250 g Butter
80 g Zucker
250 g Puderzucker

Bereits einen Tag vor dem Backen die vorbereiteten Sultaninen und Korinthen mit Rum beträufeln und zudecken. Die übrigen Zutaten in einen warmen Raum bringen. Am Backtag das Mehl in eine Schüssel sieben, in die Mitte eine Vertiefung drücken. Die mit etwas handwarmer Milch verrührte Hefe hineingießen. Mit etwas Mehl einen Vorteig bereiten. Ein Tuch darüberbreiten und zugedeckt 2 Stunden an einem warmen Ort gehen lassen. Zucker, Vanillinzucker, Zitronenschale, Salz, grob zerkleinertes Butterschmalz, in kleine Würfel geschnittenes Zitronat, abgezogene, gehackte Mandeln und Milch zugeben. Alles verarbeiten, Sultaninen und Korinthen zufügen. Gut durchkneten und 3 bis 4 Stunden mit einem Tuch bedeckt an einem warmen, aber nicht heißen Ort gehen lassen. Dann den Teig durchkneten und in ein oder eineinhalb Kilogramm schwere Stücke aufteilen. Die Teigstücke länglich oval formen, längs etwas einkerben und auf ein gebuttertes, leicht bemehltes Blech legen. Nochmals 30 Minuten gehen lassen.
In den vorgeheizten Backofen geben und bei 180 °C gut eine Stunde backen. Den Stollen etwas auskühlen lassen, mit zerlassener Butter bestreichen, Zucker daraufstreuen und mit Puderzucker besieben. Nochmals Butter daraufgeben und wieder Puderzucker. Auf die erste Kostprobe sollte man mindestens eine Woche warten. Stollen können – gut verschlossen – bis weit in den Frühling aufbewahrt werden. In Sachsen war es üblich, daß man den letzten Stollen am Ostersonntag anschnitt.

Die ersten Stollen soll es bereits im 14. Jahrhundert gegeben haben, aber die Zutaten waren bescheiden. Aus einem anfänglichen Weißbrot wurde allmählich – immer gehaltvoller – der Stollen. Der „Dresdner" hat allen den Rang abgelaufen und wurde zur bekanntesten kulinarischen Spezialität Sachsens.

Sächsischer Streuselkuchen

Für ein rechteckiges Kuchenblech

Für den Teig:
30 g Hefe
100 g Zucker
¼ Liter Milch
500 g Mehl
1 Prise Salz
120 g Butterschmalz oder Butter

Für die Streusel:
150 g Zucker
150 g Mehl
150 g Butterschmalz oder Butter
80 g Butter zum Beträufeln

Für den Teig: Die Hefe mit 1 Teelöffel Zucker und 6 Eßlöffel lauwarmer Milch verrühren.
Zwei Drittel des Mehls in eine Rührschüssel sieben. In die Mitte eine Vertiefung drücken, die aufgelöste Hefe hineingeben und diese ½ cm dick mit Mehl bestreuen.
Sobald das auf die Hefe gestreute Mehl rissig wird, Zucker, Salz und 100 g Butterschmalz in Flöckchen dazugeben und von der Mitte aus die Hefe mit dem Mehl und den übrigen Zutaten verarbeiten. Nach und nach die restliche Milch zufügen. Den Teig so lange schlagen, bis er Blasen wirft. Das restliche Mehl unterkneten, der Teig muß weich bleiben. Wenn er klebt, noch etwas Mehl zufügen. Den Teig zugedeckt an einen warmen Platz stellen und etwa 1 Stunde gehen lassen. Er muß doppelt so hoch werden. Dann gut durchkneten und auf einem mit der restlichen Butter gefetteten Backblech ausrollen. Mehrmals mit einer Gabel einstechen.
Für die Streusel: Zucker und Mehl vermischen. Kleingeschnittenes Butterschmalz zugeben.
Die Zutaten mit den Händen oder mit 2 Gabeln zu Streuseln vermengen. Diese gleichmäßig auf dem Teig verteilen und mit zerlassener Butter beträufeln.
Im vorgeheizten Backofen bei 200 °C etwa 25 Minuten backen.

Original sächsischer Streuselkuchen schmeckt buttrig – aber niemals nach Vanille. „Scheene sieße muß 'r sin." Im vogtländischen Raum fügt man dem Teig gern in Rum oder Weinbrand eingelegte Rosinen zu. Im Erzgebirge mengt man unter die Streusel einen halben Teelöffel Zimt.

Bäbe

Für eine Napfkuchenform

500 g Mehl
30 g Hefe
1/8 Liter Milch
100 g Zucker
200 g Butter
4 Eier
3 EL Kaffeesahne
250 g Rosinen
100 g geriebene Mandeln
Butter und Semmelbrösel für die Form
Puderzucker zum Besieben

Tip:
Die Garprobe bei Kuchen macht man mit einem spitzen Holzstäbchen. Man sticht in die Mitte des Kuchens ein. Wenn kein Teig daran haften bleibt, ist der Kuchen fertig.

Das Mehl in eine Schüssel sieben, in die Mitte eine Vertiefung drücken. Die Hefe in etwas lauwarmer Milch und etwas Zucker verrühren. In die Vertiefung gießen, etwas Mehl darüberstäuben. Zugedeckt an einem warmen Ort 10 Minuten gehen lassen. Dann weiche, in Stücke geschnittene Butter, Zucker, Eier, Kaffeesahne, gewaschene, abgetropfte Rosinen, Mandeln und die restliche Milch unterkneten. Den Teig so lange schlagen, bis er glänzt. Nochmals an einem warmen Ort 1 Stunde gehen lassen. Eine Napfkuchenform ausfetten, mit Semmelbröseln bestreuen, Teig hineingeben und die Bäbe im vorgeheizten Backofen bei 200 °C etwa 60 Minuten backen. Etwas auskühlen lassen, aus der Form nehmen. Mit Puderzucker besieben.

Eine Bäbe habe Rotkäppchen der Großmutter bringen sollen, behauptet Lene Voigt, sächsische Nationaldichterin: „Gomm, mei Gind, nimm hier das Henkelgärbchen un brings naus bei de Großmudder. Se hat ähmd delefoniert, daßrsch gar nich hibsch is heite." „Was isn da drinne im Gorbe?" fragte Rotgäbbchen. „Änne Flasche Abbelwein, änne Biggse Eelsardin' un änne Bäbe. Daßde mir aber nich etwa unterwächsens am Guchen rumgnaubelst! Wenn de Hunger hast, ißte deine Bämmchen mit Gunsthonich, verschtanden!"

KLECKSELKUCHEN

Für ein rechteckiges Kuchenblech

Für den Hefeteig:
30 g Hefe, 1 TL Zucker
¼ Liter Milch
500 g Mehl, 100 g Zucker
1 Prise Salz
50 g Butter
Butter für das Blech

Für die Quarkmasse:
500 g Quark
3 Eigelb
2 EL Butter, 125 g Zucker
2 EL Milch
1 EL Speisestärke
1 EL Zitronensaft
5 EL gebrühte, abgetropfte Rosinen

Für die Mohnmasse:
200 g gemahlener Mohn
2 EL Butter
⅛ Liter Milch
3 EL Semmelbrösel
150 g Zucker
1 Messerspitze Zimt

Außerdem:
3 Äpfel
2 EL Zitronensaft
Butter, Puderzucker

Für den Hefeteig: aus den Teigzutaten einen Hefeteig wie auf S. 164 beschrieben bereiten. Zugedeckt 1 Stunde gehen lassen.
Für die Quarkmasse: Den Quark durch ein Sieb streichen. Eigelb mit Butter und Zucker schaumig rühren. Milch und dann löffelweise den Quark unterrühren. Speisestärke, Zitronensaft und Rosinen zugeben. So lange schlagen, bis die Masse cremig ist.
Für die Mohnmasse: Den Mohn in zerlassene Butter geben, Milch auffüllen. Kurz durchkochen, dann 5 Minuten unter Rühren köcheln lassen. Mit Semmelbröseln binden. Nochmals aufkochen. Mit Zucker und Zimt abschmecken.
Teig durchkneten und auf einem gebutterten Blech ausrollen. Mehrmals mit der Gabel einstechen. Quark- und Mohnmasse löffelweise abwechselnd auf dem Teig verteilen. Äpfel schälen, in Viertel schneiden, Kernhaus entfernen. Feine Apfelspalten schneiden, mit Zitronensaft beträufeln und zwischen den Quark- und Mohnklecksen anordnen. Kuchen im vorgeheizten Backofen bei 200 °C 45 Minuten backen. Herausnehmen, Butterflöckchen aufsetzen und Puderzucker darüberstäuben.

Vor reichlich 100 Jahren gründete die Dresdnerin Therese Niese in Leipzigs Zentrum die erste Kochlehranstalt für Töchter höherer Stände. Und da sie eine kluge Rechnerin war (schließlich war sie Sächsin), predigte sie: „Nur nichts umkommen lassen." Sie war eine Verfechterin der Resteverwertung. So entstand aus ein bißchen Mohn vom Mohnkuchen, ein bißchen Quark vom Quarkkuchen der lustige, aber recht wohlschmeckende Kleckselkuchen.

Dresdner Eierschecke

Für ein rechteckiges Kuchenblech

Für den Teig:
500 g Mehl
30 g Hefe
¼ Liter Milch
150 g Zucker
200 g Butter oder Margarine
1 Päckchen Vanillinzucker
1 Prise Salz
Butter für das Blech

Für den Belag:
100 g Butter
300 g Zucker
8 Eier
1 kg Quark
1 Päckchen Vanillepudding
½ TL abgeriebene unbehandelte Zitronenschale
1 Prise Salz
2 EL geriebene Mandeln
1 EL Speisestärke
50 g Butter
3 EL Weinbrand

Für den Teig: Mehl in eine Schüssel sieben, eine Vertiefung hineindrücken. Die Hefe in etwas lauwarmer Milch und etwas Zucker verrühren. Diesen Vorteig zugedeckt 10 Minuten gehen lassen. Dann weiche, in Stücke geschnittene Butter, Zucker, Vanillinzucker, Milch und Salz dazugeben und so lange schlagen, bis der Teig glänzt.
An einen warmen Platz stellen, mit einem Tuch zudecken und 1 Stunde gehen lassen.
Teig durchkneten, ausrollen und auf ein gefettetes Blech geben, einen Rand andrücken, 10 Minuten gehen lassen.
Für den Belag: Die Butter schaumig rühren, nach und nach 200 g Zucker, 3 Eier, Quark, Puddingpulver, Zitronenschale, Salz, Mandeln unterrühren.
Diese Masse auf dem Kuchenteig verteilen. Dann Speisestärke, restlichen Zucker, restliche Eier mit Butter und Weinbrand verrühren. Im Wasserbad so lange schlagen, bis eine dickschaumige Creme entsteht. Die Creme über die Quarkmasse ziehen. Im vorgeheizten Backofen bei 200 °C etwa 45 Minuten backen. Die Oberhitze soll nicht zu stark sein, damit die Creme nicht dunkel wird.

Der Maler Gerhard Kügelgen führte in Dresden ein großes Haus. Gäste waren immer willkommen, und die von ihm aufgetischten Quarkkuchen nebst „Schälchen Heeßen" waren Stadtgespräch. Auch heute kann man in seinem ehemaligen Wohnhaus – es ist Restaurant und Café – dem Genuß von Eierschecke frönen. Und was sein Sohn Wilhelm vom „Kuchenstickeln" eintauchen, also „ditschen" sagte, darf man durchaus wörtlich nehmen …
Quarkkuchen gibt es bei den „sießen" Sachsen in vielen Varianten: auf Hefeteig mit Butter- oder Schokoladenstreuseln, mit Rosinen und Mandeln oder „nur" mit viel Eiern, mit Schokoladenguß oder wie der feinste von allen, die Eierschecke, mit einer duftigen lockeren Creme über sahniger Quarkmasse. Und: immer muß er scheene sieße sin.

Haferflockenplätzle
Pulsnitzer Pfefferkuchen

HAFERFLOCKENPLÄTZLE
150 g Butter
250 g grobe Haferflocken
150 g Zucker
3 Eier
2 bittere gemahlene Mandeln
10 süße gemahlene Mandeln
2 TL Backpulver
100 g Mehl
Fett für das Blech

PULSNITZER PFEFFERKUCHEN
250 g Honig
250 g Zucker
60 g Butter
2 EL Kakao
600 g Mehl
1 kräftige Prise Zimt
4 g Kardamom
½ TL abgeriebene unbehandelte Zitronenschale
125 g süße Mandeln, davon 3 bittere
100 g Zitronat
1 Ei
10 g Hirschhornsalz
5 g Pottasche

HAFERFLOCKENPLÄTZLE
In der zerlassenen Butter die Haferflocken unter Rühren leicht bräunen, 1 Eßlöffel Zucker unterrühren, noch etwas bräunen, danach kalt stellen. Die Eier schaumig schlagen und allmählich den restlichen Zucker und die gemahlenen Mandeln unterschlagen. So lange schlagen, bis eine cremeartige Masse entstanden ist. Das mit Backpulver vermischte und gesiebte Mehl und die erkalteten Haferflocken eßlöffelweise darunterrühren. Von dem Teig mit 2 Teelöffeln Häufchen abnehmen und auf das gefettete Backblech setzen.
Im vorgeheizten Backofen bei 175 °C etwa 15 Minuten backen.

Der gute Geist des Vogtlandes, der Moosmann, darf zur Weihnachtszeit ebensowenig fehlen wie die vielen süßen Plätzle und Zuckermännle. Sollte man bei einem Waldspaziergang etwas Weiches in der linken Hand spüren, nicht wegwerfen! Es ist Moos, ein Geschenk vom grünen Männlein, das sich bei guten Menschen in Gold verwandelt. Zuckermännle aus Pfefferkuchenteig schmücken seit vielen Jahrhunderten den vogtländischen Weihnachtsbaum.

PULSNITZER PFEFFERKUCHEN
Honig, Zucker und Butter erhitzen, abkühlen lassen. Das mit dem Kakao gesiebte Mehl, die Gewürze, das Ei, die getrennt in etwas Wasser aufgelösten Treibmittel nach und nach zugeben. Alles gut verkneten. Den Teig über Nacht kalt gestellt ruhen lassen. Etwa ½ cm dick ausrollen und Figuren oder Herzen ausstechen. In vorgeheizter Backröhre bei 180 °C etwa 15 Minuten backen. Abkühlen lassen. Mit farbiger Zuckerglasur bemalen, verzieren, beschriften oder mit Kuvertüre überziehen und mit Mandelhälften oder buntem Streuzucker verzieren.

Wo gibt es das schon, daß eine Stadt das ganze Jahr über nach Weihnacht duftet? In Pulsnitz! Seit 1743, da gründete ein gewisser Tobias Thomas die erste Pfefferküchlerei – das bescheidene Häuschen kündet mit einer Gedenktafel davon – entstehen lustig verzierte Pfefferkuchenmännlein und -weiblein, buntbemalte Herzen mit heißen Liebesschwüren und rechteckige, runde, kleine und große verzuckerte oder mit Mandeln besteckte Pfefferkuchen.

Quittentorte

Für eine Springform von
28 cm Durchmesser

Für den Teig:
250 g Mehl
200 g Butter
2 EL Zucker
1 TL abgeriebene unbehandelte Zitronenschale
1 Ei
1 kräftige Prise Salz
Butter für die Form
2 EL Milch

Für den Belag:
1 kg Quitten
50 g Zitronat
250 g Zucker
1 TL abgeriebene unbehandelte Zitronenschale

Für den Guß:
4 Eier, 2 Eigelb
100 g Zucker
2 EL gemahlene Mandeln
2 EL Zitronensaft

Zum Bestreuen:
2 EL Semmelbrösel
1 TL Zimt
2 EL Zucker
80 g Butter in Flöckchen

Für den Teig: Das Mehl auf das Backblech sieben. In die Mitte eine Vertiefung drücken. Die Butter in Flöckchen auf dem Rand verteilen. Zucker, abgeriebene Zitronenschale und Salz darüberstreuen. Das verquirlte Ei in die Vertiefung gießen. Die Zutaten mit einem großen Messer durcheinander hacken. Dann rasch einen glatten Teig kneten und 30 Minuten in den Kühlschrank stellen.
Für den Belag: Inzwischen die Quitten unter fließendem Wasser abbürsten, schälen und mit einem scharfen Messer in Viertel schneiden. Kerngehäuse herausschneiden. Die Quitten in ¾ Liter Wasser erhitzen und 20 Minuten kochen. Herausnehmen, abtropfen lassen, dabei den Saft auffangen. Quitten in kleine Würfel schneiden, Zitronat hacken. ¼ Liter Quittenkochwasser mit dem Zucker aufkochen, Quittenwürfel, Zitronat und abgeriebene Zitronenschale zugeben. Alles 20 Minuten zu einer geleeartigen Masse einköcheln lassen.
Den Teig ausrollen, eine gebutterte Springform damit auslegen, den Teig mit einer Gabel mehrfach einstechen. Aus Teigresten eine Rolle formen, den Rand der Teigplatte mit Milch bestreichen, die Rolle daraufgeben. Die abgekühlte Quittenmasse – 5 Eßlöffel davon aufheben – auf den Teig füllen.
Für den Guß: Eier, Eigelb und Zucker schaumig rühren. Mandeln, Zitronensaft und das restliche Quittengelee unterziehen. Den Guß auf die Torte geben und im vorgeheizten Backofen auf der mittleren Schiene bei 200 °C 40 Minuten backen.
Zum Bestreuen: Semmelbrösel, Zimt, Zucker, Butter vermischen und auf der Torte verteilen. Noch weitere 15 Minuten backen.

Quitten werden im allgemeinen nicht gewaschen, sondern nur mit einem trockenen Tuch abgerieben. Auf diese Weise löst sich der Pelz auf der Schale am besten. Danach die Früchte schälen, in Viertel schneiden und vom Kernhaus befreien. Quitten haben ein feineres Aroma, wenn sie einige Wochen lagern. Freilich sind sie auch im ausgereiften Zustand nichts zum Rohessen.

MEISSNER QUARKTORTE

Die Meißner Altstadt unter einer weißen Decke, vom Burgberg aus gesehen.

Für eine Springform von 28 cm Durchmesser

250 g Butter
6 Eier
300 g Zucker
1 TL abgeriebene unbehandelte Zitronenschale
3 EL Zitronensaft
1 kg trockener Quark
100 g Grieß
1 EL Mehl
1 Päckchen Backpulver
1 Prise Salz
150 g Puderzucker oder weniger
Fett für die Form

170 g Butter schaumig schlagen. Die Eier trennen. Eigelb, Zucker, Zitronenschale und Zitronensaft nach und nach zugeben und verrühren. Den Quark mit Grieß, Mehl und Backpulver vermengen und einarbeiten. Eiweiß mit einer Prise Salz zu steifem Schnee schlagen und unter die Masse heben. Eine Springform ausfetten, den Teig einfüllen. Die Torte im vorgeheizten Backofen bei 180 °C etwa 45 – 60 Minuten backen. Noch heiß mit zerlassener Butter bestreichen und mit Puderzucker besieben.

Leicht verderbliche Milch wollte vor allem haltbar machen, wer eigene Haustiere – Ziegen, Kühe oder Schafe – besaß. Milch trank man frisch – angesäuert mochte sie ruhig dick und dicker werden. Dann preßte man aus der Masse die Molke heraus – und hatte eine schmackhafte Zukost. Quark, verfeinert mit Kräutern, Zwiebeln, Knoblauch schmeckte zu Kartoffeln. Verfeinert mit Zucker und Früchten gab er ein herrliches Dessert her! Bald entdeckte man seine Eignung für Quarkkuchen und Quarktorten. Er wurde veredelt mit Sahne, Rosinen, Rum, Mandeln ... War er auf dem Kuchenteig, ging es weiter: buttrige Streusel oder ein Guß aus Eierschaum bildeten die zweite Schicht. Oder: der Quark bekam einen dicken Schokoladenguß nach dem Backen. Reinsten Quarkgenuß kredenzte der Meister der Bäckergilde – jener Künstler, der einst auf des starken August Geheiß die „Meißner Fummel“ erfand, deren Rezept ebenso behütet wird wie die Farben des Meissner Porzellans – seinem Sachsengeenich, der auf „Sießes“ versessen war wie Sachsen überhaupt, eine Torte ohne Boden.

Himmeltorte mit kandierten Blüten

Für die Verzierung:
100 g Veilchenblüten oder Rosenblätter
300 g Zucker

Für den Teig:
6 Eiweiß
300 g Puderzucker
2 EL Zitronensaft

Für den Belag:
500 g frische Erdbeeren, am besten Walderdbeeren
2 EL Zucker
1 Päckchen roter Tortenguß
¼ Liter Schlagsahne
1 EL Zucker

Für die Verzierung: Die Veilchenblüten in kochendem Wasser kurz überbrühen und sorgfältig abtropfen. Den Zucker mit etwas Wasser aufkochen, bis er Blasen wirft. Die Veilchenblüten sofort hineingeben und noch einen Augenblick kochen. Die Mischung abkühlen lassen. Wenn der Zucker wieder trocken geworden ist und sich anfassen läßt, jede Blüte einzeln vorsichtig aus der Zuckerverkrustung herausnehmen, auf Pergamentpapier legen und in der weißen Rüstung erstarren lassen.
Für den Teig: Am Backtag Eiweiß steif schlagen, nach und nach Zucker und Zitronensaft zugeben. Den Boden einer Springform mit Pergamentpapier auslegen. Die Baisermasse in den Spritzbeutel mit glatter Tülle füllen und spiralförmig eine gleichmäßige Schicht auf das Papier spritzen. Anschließend mit der Sterntülle in regelmäßigen Abständen Tupfen auf den Rand setzen. Den Baiserboden bei 80 – 90 °C etwa 1 Stunde mehr trocknen als backen lassen. Noch warm von der Unterlage ablösen. Kurz vor dem Servieren die vorbereiteten Erdbeeren auf den Tortenboden legen, mit Zucker bestreuen und mit dem nach Vorschrift zubereiteten Tortenguß überziehen. Abkühlen lassen. Die Sahne steif schlagen, zuckern, Sahnekleckse auf den Tortenrand setzen. Die kandierten Veilchenblüten oder Rosenblätter auf der Torte anrichten. Auch kandierte Rosenblütenblätter oder Holunderdolden sehen auf der Torte hübsch aus.

Kochen mit Blumen und Blüten war in der Küche unserer Vorfahren nichts Absonderliches. Mit wieviel Phantasie verwandelten sie Dekoratives in Genießbares, parfümierten sie Festspeisen mit Blumenduft. Auch im vornehmsten der Leipziger Kaffeehäuser, im Café Felsche, spielten Blumen- oder Früchtegarnierungen und -verzierungen eine beachtliche Rolle. Sie prangten und dufteten auf Törtchen und Torten und verliehen manchem eine Note von Tausendundeiner Nacht.

Möhrentorte

Für eine Springform von 28 cm Durchmesser

12 Eier
500 g Zucker
500 g geriebene rohe Möhren
500 g geriebene Mandeln
4 EL Arrak
3 EL Kartoffelstärke
1 TL Zimt
6 EL Zitronensaft
Butter für die Form
1 EL Semmelbrösel

Für die Glasur:
250 g Puderzucker
3 EL Kakao
3 EL heißes Wasser
30 g weiche Butter

Die Eier trennen. Eigelb und Zucker schaumig schlagen. Nach und nach die geriebenen Möhren und Mandeln unterrühren. Arrak, Kartoffelstärke, Zimt und Zitronensaft zugeben und verrühren. Zuletzt das steifgeschlagene Eiweiß vorsichtig unterheben. Die Masse in eine gebutterte, mit Semmelbröseln ausgestreute Form füllen und im vorgeheizten Backofen bei 180 °C etwa 40 Minuten backen. Die Torte auskühlen lassen.
Für die Glasur: Puderzucker und Kakao durch ein Sieb geben und mit heißem Wasser glattrühren. Die Masse muß dickflüssig sein. Weiche Butter unterschlagen. Die Torte mit dieser Glasur überziehen. Nach Belieben Schlagsahne dazu reichen.

Als diese Torte vor rund 100 Jahren erstmals im rundbogigen Schaufenster einer Leipziger Feinkosthandlung stand, sorgte sie für Stadtgespräch – und wurde der große Renner. Die Besitzerin, Witwe Schwennicke, immer darauf bedacht, ihre Konkurrenten zu überbieten, kreierte sie als garantiert wirkendes Liebesmittel. Das soll sie übrigens noch heute sein!

Vogtländische Kürbistorte

Für eine Springform von 28 cm Durchmesser

Für den Teig:
200 g Mehl
100 g Butterschmalz
2 EL Zucker
1 kräftige Prise Salz
Fett für die Form

Für den Belag:
500 g Kürbisfleisch
Salz, 3 EL Essig
50 g Butter
100 g Zucker, 2 Eier
1 Messerspitze Zimt
1 Messerspitze Ingwerpulver
1 EL Speisestärke

Mehl und Butterschmalz mit den Händen zerkrümeln, bis sich gleichmäßige, feine Streusel ergeben. Zucker, Salz und 3 Eßlöffel kaltes Wasser darüber verteilen. Den Teig mit den Händen zusammenkneten und zu einer Kugel formen. Ausrollen. Eine gefettete Springform mit dem Teig auslegen, einen 3 cm hohen Rand formen und zugedeckt eine Stunde kalt stellen. Inzwischen den Kürbis schälen und in Würfel schneiden. In wenig Wasser, Salz und Essig 15 Minuten dünsten. Abtropfen lassen und pürieren. Butter und Zucker schaumig rühren. Die Eier trennen. Eigelb unter die Butter rühren. Zimt und Ingwer zufügen. Speisestärke und Kürbismus unter die Creme rühren. Die Springform mit dem Teigboden im Backofen bei 200 °C 20 Minuten backen. Eiweiß zu steifem Schnee schlagen und unter die Kürbiscreme heben. Alles auf dem Teigboden verteilen und noch weitere 25 Minuten backen. Sofort heiß servieren. Diese Torte schmeckt zum Kaffee oder als Nachtisch.

Leipziger Lerchen

Für den Teig:
250 g Mehl
1 Ei
1 Prise Salz
1 TL Weinbrand
70 g Zucker
125 g Butter

Für die Füllung:
250 g Aprikosenkonfitüre
125 g Butter
150 g Puderzucker
1 Eigelb
150 g geriebene Mandeln
½ Fläschchen Bittermandelöl
75 g Mehl
1 EL Speisestärke
4 Eiweiß
Butter für die Förmchen

Für den Teig: Das Mehl in eine Schüssel sieben, in die Mitte eine Vertiefung drücken. Ei, Salz und Weinbrand hineingeben, Zucker darüberstreuen. Die Butter in Flöckchen dazugeben und alles zu einem glatten Teig verarbeiten. 30 Minuten kühl stellen.
Für die Füllung: Die Aprikosenkonfitüre durch ein Sieb streichen, beiseite stellen. Die Butter in einer Schüssel schaumig rühren, nach und nach Puderzucker, Eigelb, die geriebenen Mandeln, Bittermandelöl, Mehl und Speisestärke einrühren. Das Eiweiß steif schlagen und vorsichtig unterheben. Lerchen-Förmchen oder andere runde Förmchen von 6 cm Durchmesser einfetten, den Teig ½ cm stark ausrollen und die Förmchen damit auslegen. Einen Teigrest beiseite legen. Mit der Gabel mehrmals in den Teig einstechen, damit er keine Blasen wirft. Konfitüre daraufstreichen und darüber die Mandelmasse geben. Obenauf über Kreuz jeweils zwei Teigstreifen legen. In vorgeheizter Backröhre bei 175 °C etwa 20 Minuten backen. Nach dem Backen stürzen und sofort wieder umdrehen.

Leipziger Lerchen, heute der Inbegriff für ein köstliches Marzipantörtchen, waren bis weit ins 19. Jahrhundert eine Delikatesse ganz anderer Art: Tatsächlich aß man in Leipzig mit Vorliebe Singvögel! Man mochte sie knusprig gebraten, gefüllt, gedämpft, als Suppeneinlage oder als Ragout – ja, sie dienten sogar als Tortenbelag. Gebratene Lerchen waren so begehrt, daß man sie verschickte. Als im Jahre 1876 in Sachsen die Jagd auf Lerchen verboten wurde, ersannen geschäftstüchtige Leipziger für den inzwischen gut eingeführten Namen etwas anderes – dieses wohlschmeckende, haltbare und deshalb auch für den Versand geeignete Backwerk.

Die Rezepte nach Gruppen

Soweit in den Rezepten nichts anderes vermerkt ist, sind die Zutaten für vier Personen berechnet.

Suppen und Eintöpfe

Fisch, Fleisch, Wild und Geflügel

Gemüse, Beilagen und Salate

Die Rezepte alphabetisch

Soweit in den Rezepten nichts anderes vermerkt ist, sind die Zutaten für vier Personen berechnet.

Bildquellen

Bilderberg: 176 (Eberhard Grames); 32 o., 94 (Wolfgang Kunz); 122 (Hans Madej)
Focus: 154 (Walter Mayr); 66 (Bernd-Christian Möller); 25 (Jürgen Röhrscheid)
Anne Hamann: 16/17, 21, 23, 28/29, 37, 38, 43, 47, 48, 49 o., 52/53, 54/55, 60, 61 u., 63, 65, 72, 76, 116, 126, 132, 136, 140 (Thomas Höpker)
Harksheider Verlagsgesellschaft: 49 u., 67 (Tassilo Wengel)
IFA: 34 (Aberham); 40/41 (Comnet); 88 (Fiedler); 9, 56, 92, 166 (Gerig); 20 (Hasenkopf); 148 (Kneer)
Jürgens: 32 u., 33, 35, 58/59
Mauritius: 62 (Chrile); 182 (Ducatez); 18 o. (Herdenberg); 84 (Dr. Pott); 39 (Rossenbach)
Dietmar Necke: 2, 27, 44/45, 46, 50/51, 57, 80, 100, 108
Helga Schulze: 6, 12/13, 19, 24; 11, 14 (Stadtgeschichtliches Museum Leipzig)
Sigloch Bildarchiv: 30, 70/71, 86/87, 118/119, 142/143, 160/161, und alle ungeraden Seitenzahlen 73–185 (Hans Joachim Döbbelin)
Tassilo Wengel: 18 u., 61 o.
Zefa: 68 (Damm); 31 (Vloek)

Impressum

Internet: http://www.sigloch.de
 Printed in Latvia.
Reproduktion: Eder Repros, Ostfildern
Satz: Setzerei Lihs, Ludwigsburg
Druck: Preses Nams Corp. Jana seta Printing Group, Riga
Papier: 135 g/m² UPM Finesse 700 holzfrei glänzend
UPM-Kymmene Fine Paper GmbH, Dörpen
Bindearbeiten: Sigloch Buchbinderei, Am Buchberg 8, 74572 Blaufelden
ISBN 3-89393-079-5

Reihenweise Kulinarische Kostbarkeiten

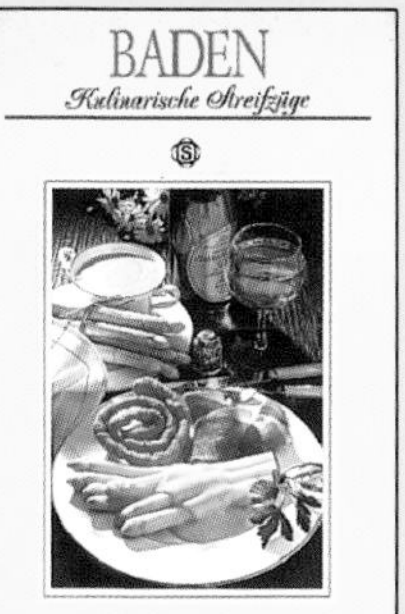

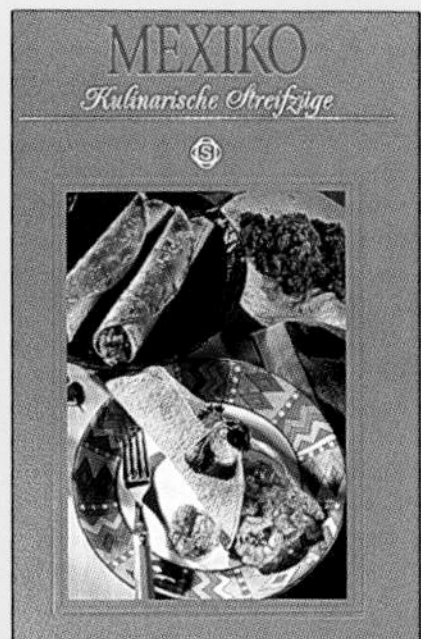